검정고시 입시 고수들의
만점 전략 수험서

최신 개정판

고등학교 졸업자격 검정고시

검고수 과학

만점전략서

한양학원 수험서 — 편집부 저

도서출판 국자감
www.kukjagam.co.kr

CONTENTS

01. 물질의 기원 | 6
02. 물질의 규칙성 | 13
03. 자연의 구성 물질 | 32
04. 신소재 | 36
05. 역학적 시스템 | 40
06. 지구 시스템 | 54
07. 생명 시스템 | 62
08. 산화와 환원 | 82
09. 산과 염기 | 86
10. 지질 시대와 진화 | 91
11. 생물 다양성과 유지 | 104
12. 생태계와 환경 | 109
13. 지구 환경 변화 | 115
14. 에너지의 효율적 이용 | 130
15. 전기 에너지의 생산과 수송 | 133
16. 발전과 신재생 에너지 | 137

실전 모의고사 1회 | 152
실전 모의고사 2회 | 160
정답 및 해설 | 170

검정고시 만점 전략

1. 2015 개정 교육과정의 특징

① 미래 사회를 대비하기 위한 과학기술 창조력을 갖춘 융합형 인재를 양성하기 위한 통합 과학으로 구성

② 전 교육과정에서 내용이 부족했던 물리와 화학 부분이 대폭 증가된 구성

③ 따라서 전 교육과정보다 학습할 분량이 더 많아졌고 내용의 난이도까지도 상승된 구성

④ 검정고시를 마치고 수능을 준비할 학생에게는 과학 탐구 영역의 공부에 기본이 되는 구성

2. 개정 교육과정 공부법

① 예습도 중요하지만 강의를 열심히 듣고 복습을 철저히 하기

② 물리편에서는 중력과 역학적 시스템, 에너지의 효율적 이용, 전기 에너지의 생성과 수송편의 완벽한 이해가 고득점의 필수요건이 될 것이므로 완벽하게 공부하기

③ 화학편에서는 원소들의 주기성과 화학결합의 종류, 산염기와 중화반응, 산화 환원 반응의 완벽한 이해가 역시 고득점의 필수 요건이 될 것이므로 많은 시간 투자가 필요함

01

01. 물질의 기원
02. 물질의 규칙성

01 물질의 기원

01. 외부 은하의 스펙트럼

(1) 별빛 스펙트럼의 파장 변화(빛의 도플러효과)

1) **관측자로부터 멀어지는 천체가 방출한 빛** : 파장이 길어지는 적색 편이

2) **관측자를 향해 다가오는 천체가 방출한 빛** : 파장이 짧아지는 청색 편이

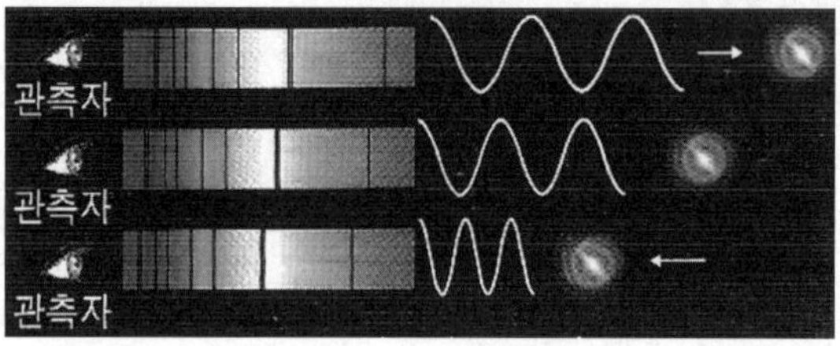

멀어질 때 : 적색 편이

정지할 때 : 실제 파장

다가올 때 : 청색 편이

(2) 외부 은하의 스펙트럼

(2) 외부 은하의 스펙트럼 : 스펙트럼선들이 모두 적색 편이 되었으며, 멀리 떨어진 은하일수록 적색 편이가 더 크게 관측되었다.

02. 허블의 법칙과 우주의 팽창

(1) 허블의 법칙 : 외부 은하의 적색 편이 현상으로부터 은하의 후퇴 속도를 알아냈다.

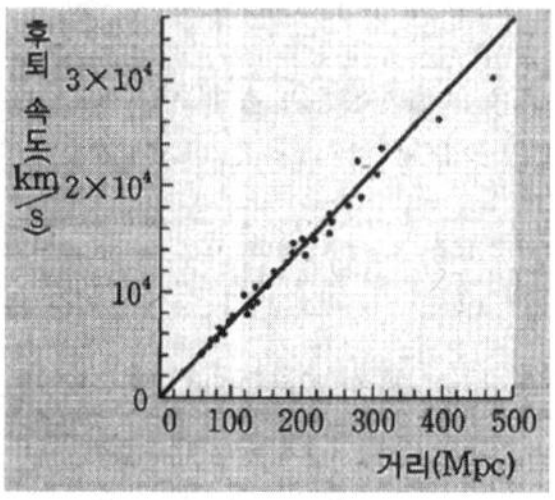

$$V = H \cdot r \begin{cases} H : \text{허블상수} \\ r : \text{은하까지의 거리} \end{cases}$$

→ 은하의 후퇴 속도는 은하까지의 거리 r에 비례한다.

→ 거리가 먼 은하일수록 후퇴 속도가 더 빠르다.

(2) 우주의 팽창 : 허블의 법칙은 은하들이 서로 멀어지고 있음을 의미하는 것으로 우주가 팽창하고 있음을 나타낸다.

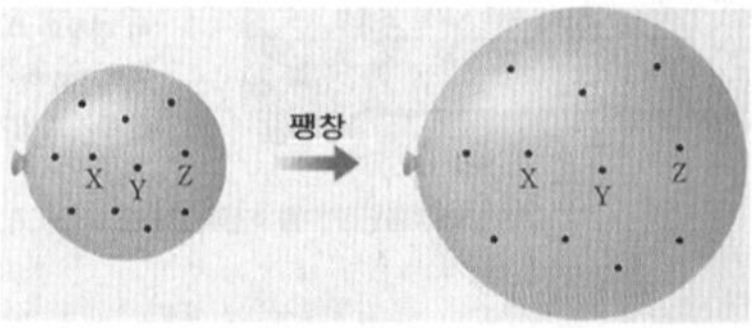

03. 빅뱅 우주론과 원소의 생성

(1) 빅뱅과 원자의 형성

1) 물질의 구성

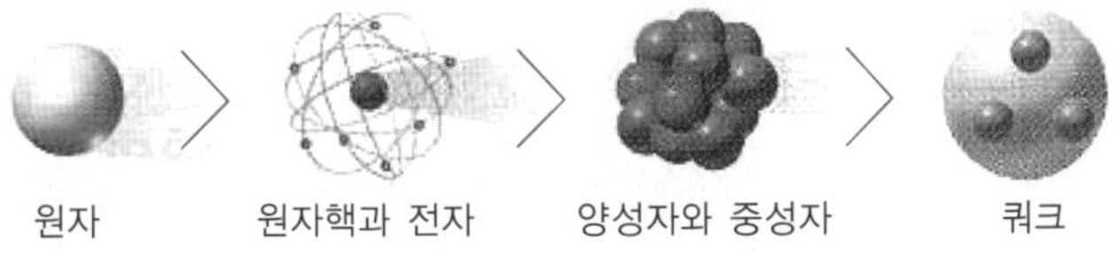

2) 빅뱅 우주론(가모)

우주는 약 138억 년 전 초고온, 초고밀도의 한 점에서 빅뱅(대폭발)으로 시작되었다.

빅뱅 → 기본 입자(쿼크, 전자 등) → 양성자, 중성자 → 원자핵 → 원자

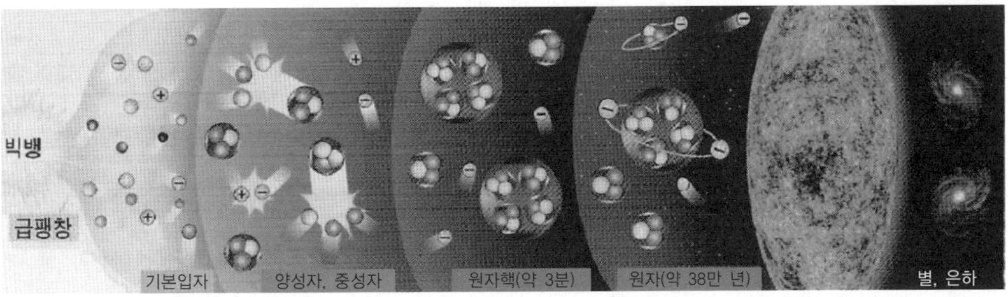

3) 팽창하는 우주와 물질의 생성

① 빅뱅 후 10^{-35}초 : 기본 입자인 쿼크(6종)와 전자(렙톤6종) 등이 생성되었다.

㉠ **쿼크** : 업(u), 다운(d), 참(c), 스트레인지(s), 톱(t), 보텀(b)

㉡ **렙톤(경입자)** : 전자, 뮤온, 타우와 그들의 중성미자

② 빅뱅 후 10^{-6}초 : 쿼크들이 결합하여 양성자와 중성자가 생성되었다.

㉠ **양성자** : 업 쿼크 2개 + 다운 쿼크 1개 → (+)전하

㉡ **중성자** : 업 쿼크 1개 + 다운 쿼크 2개 → 전하 띠지 않음

③ 빅뱅 후 3분 : 수소 원자핵과 헬륨 원자핵이 생성되었다.

㉠ **수소 원자핵** : 양성자 1개

㉡ **헬륨 원자핵** : 양성자 2개 + 중성자 2개

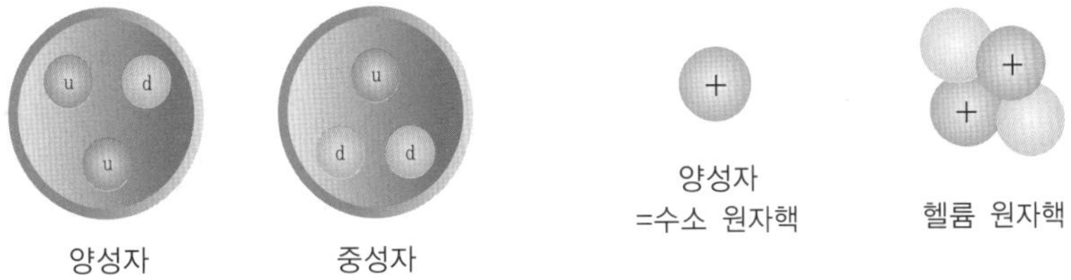

④ 빅뱅 후 38만 년 후

㉠ **원자 생성** : 수소 원자(H)와 헬륨 원자(He)가 생성되었다.

수소 원자	헬륨 원자
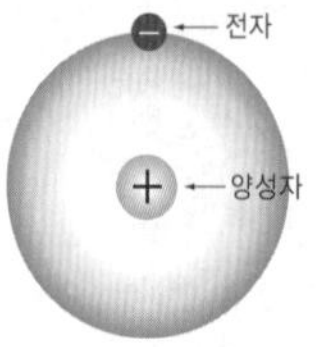	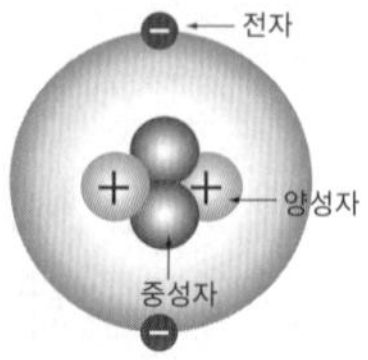

㉡ **우주 배경 복사** : 빅뱅 약 38만 년 후 빛의 직진을 방해하던 전자들이 원자핵에 붙잡히면서 그동안 갇혀있던 빅뱅 초기의 빛들이 우주 전체로 퍼져 나갔는데, 이 빛을 우주 배경 복사라고 한다.

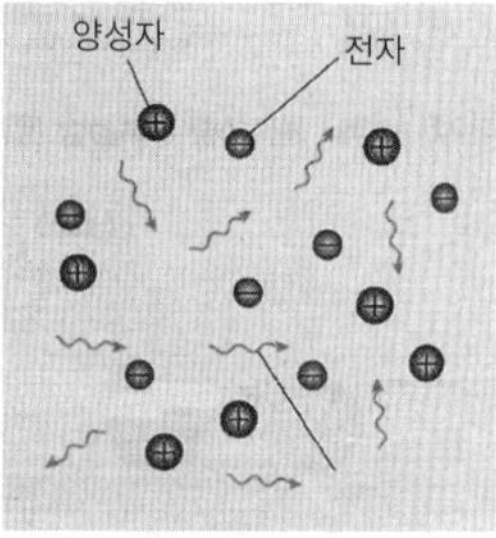

불투명한 우주

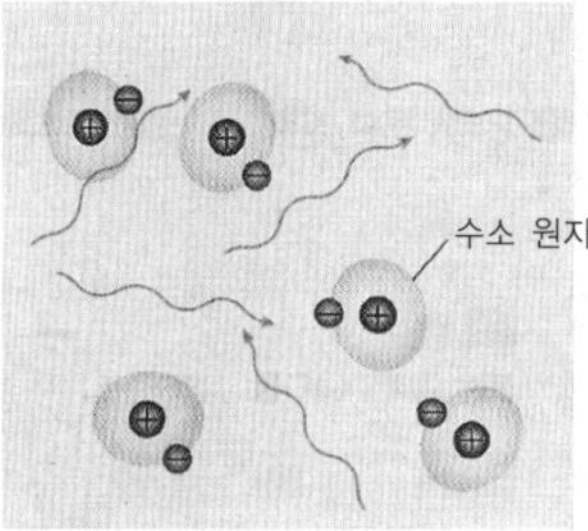

투명한 우주

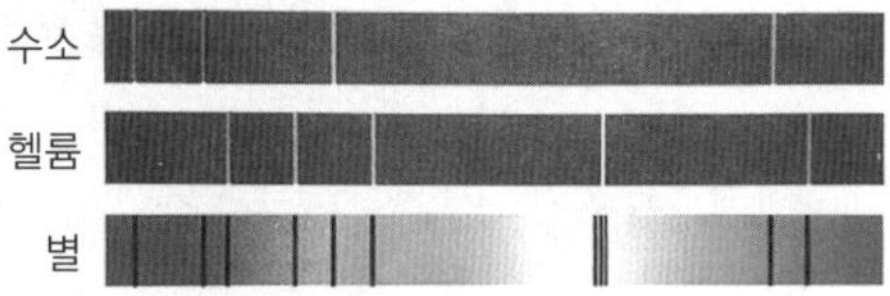

(2) 빅뱅 우주론의 증거

1) 우주 초기 수소 원자핵과 헬륨 원자핵의 개수비

① 수소 원자핵(양성자)과 헬륨 원자핵의 개수비가 12 : 1, 질량비로는 3 : 1이었다고 한다. 따라서 현재 우주에서도 그 비가 동일하게 3 : 1로 관측되어야 할 것이다.

② 별빛의 선스펙트럼 분석을 통해 우주에 존재하는 수소와 헬륨의 질량비가 빅뱅 우주론에서 예측했던 대로 3 : 1로 관측되었다. **(빅뱅 우주론을 지지하는 증거)**

2) 우주 배경 복사의 예측과 발견

① 예측 : 빅뱅으로 우주가 팽창하면서 온도가 3000K일 때 빠져나온 우주 배경 복사의 파장이 길어져 3K 복사인 마이크로파(전파)로 관측되리라 예측하였다.

② 관측 : 펜지어스와 윌슨이 약 3K인 물체에서 방출되는 파장과 같은 마이크로파(전파)로 우주 어느 방향에서나 대체로 동일한 세기로 관측됨을 발견하였다.

(빅뱅 우주론을 지지하는 증거)

04. 지구와 생명체를 이루는 원소의 생성

(1) 별의 탄생과 원소의 생성

1) 별의 탄생 과정

① 빅뱅 때 만들어진 수소와 헬륨의 가스 구름이 중력으로 주변의 물질을 끌어 모아 성운을 형성한다.

발광 성운

반사 성운

암흑 성운

② 성운의 밀도가 높은 곳에서 중력 수축으로 온도가 높아지면 원시별이 생성된다.

③ 원시별이 수축을 계속하여 중심부의 온도가 1000만K 이상이 되면 4개의 수소(H) 원자핵이 융합하여 1개의 헬륨(He) 원자핵이 되는 수소 핵융합 반응으로 에너지를 방출하는 주계열성이 된다.

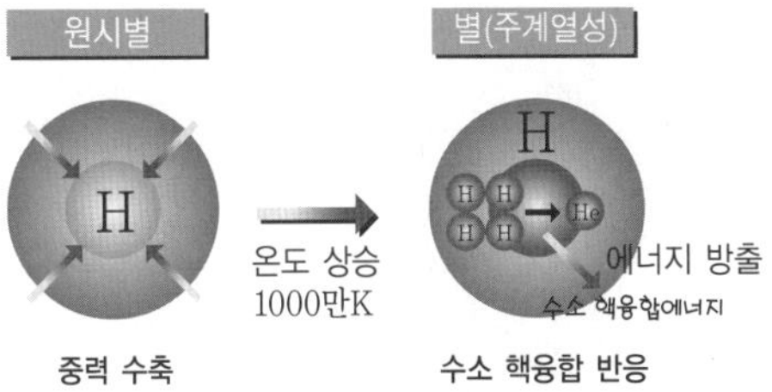

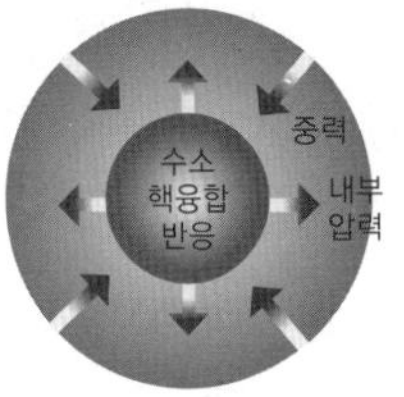

④ 주계열성 : 중심부에서 수소 핵융합 반응으로 에너지를 방출하는 별을 말한다. 별은 일생의 약 90% 기간을 주계열성으로 보낸다. 현재 태양도 주계열성이다.

⑤ 주계열성의 크기 : 별의 중심으로 수축하려는 중력과 밖으로 팽창하려는 내부 압력이 균형을 이루어 그 크기가 일정하게 유지된다.

(2) 별의 진화와 원소의 생성

1) **질량이 태양 정도인 별** : 헬륨, 탄소, 산소 등 가벼운 원소 생성

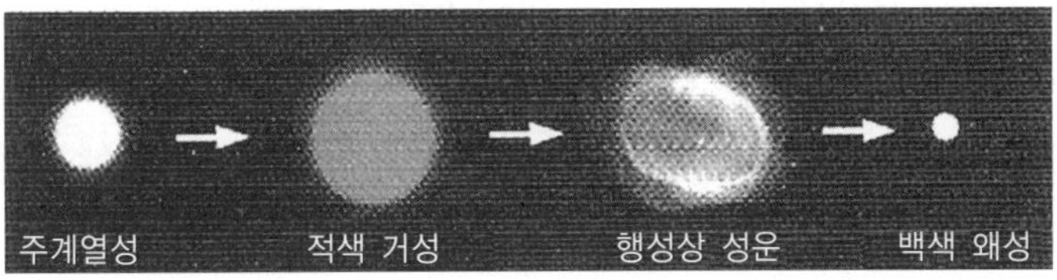

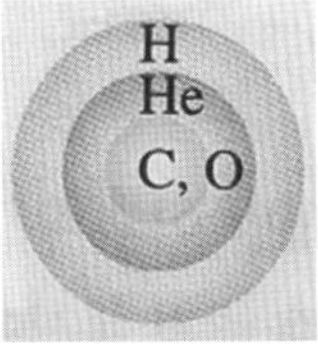

2) **질량이 태양의 10배 이상인 큰 별** : 중심부에서 가장 안정한 철까지 생성

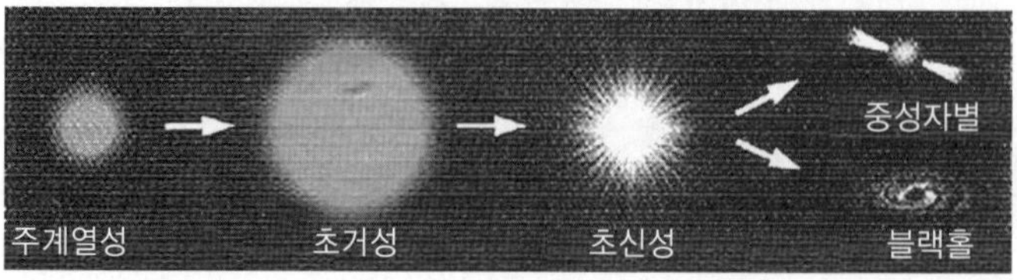

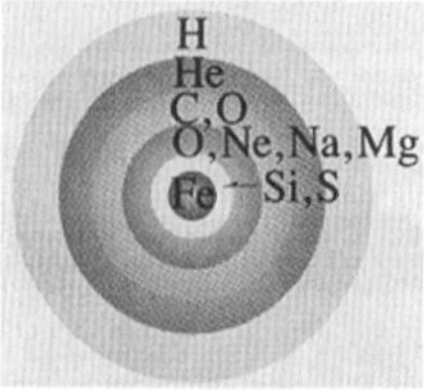

※ 블랙홀 : 중력이 매우 커서 빛조차도 빠져나오지 못하는 별

3) **별의 진화 단계와 폭발 과정에서 생성되는 원소**

① 별의 진화 과정에서 생성되는 원소 : 탄소, 산소, 질소, 네온, 마그네슘, 규소, 황 … 철

② 초신성 폭발로 생성되는 원소 : 납, 우라늄, 금 …

05. 태양계와 지구의 형성

(1) 태양계의 형성

1) **성운설** : 회전하는 성운의 수축에 의해 태양과 행성들이 형성되었다는 이론이다.

2) **태양계의 형성 과정**

태양계 성운의 형성

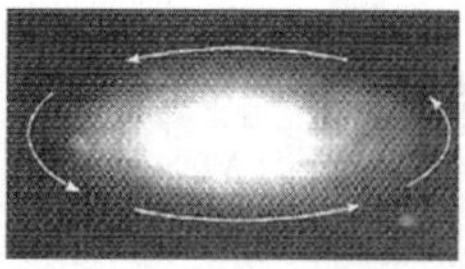
원반 모양의 성운 형성

원시 태양과 미행성의 형성

원시 행성의 형성

3) **성운설의 증거**

① 태양이 태양계의 중심이며, 태양계 전체 질량의 99.8%를 차지한다.

② 태양의 자전 방향과 행성들의 공전 방향이 서로 같다.

③ 태양계를 구성하는 행성들의 나이가 거의 비슷하다.

④ 행성들의 공전 궤도면이 거의 일치한다.

(2) 행성의 종류

1) 지구형 행성(암석) : 수성, 금성, 지구, 화성

원시 태양으로부터 거리가 가까워 온도가 높았으므로 가벼운 기체는 대부분 날아가고 철, 니켈, 규소와 같은 녹는점이 높고 밀도가 큰 미행성체를 형성하였고, 이들의 충돌로 지구형 행성이 형성되었다.

2) 목성형 행성(가스) : 목성, 토성, 천왕성, 해왕성

태양으로부터 거리가 멀어 온도가 낮았으므로 얼음과 메테인, 암모니아 등으로 둘러싸인 금속 또는 암석 티끌 등이 응집되어 미행성체들을 형성하였고, 서로 충돌하면서 주변의 수소와 헬륨 같은 가벼운 기체들을 끌어당겨 목성형 행성을 형성하였다.

구분	반지름	질량	평균 밀도	자전 주기	위성수	고리	표면 상태	주요 성분	대기 성분
지구형 행성	작다	작다	크다	길다	없거나 적다	없다	고체	Fe, Si, O	N_2, O_2, CO_2
목성형 행성	크다	크다	작다	짧다	많다	있다	기체	H, He	H_2, He, NH_3, CH_4

3) 행성의 특징

① 수성 : 대기가 없어 낮과 밤의 기온차가 크며, 운석 구덩이가 많다. 약 400℃

② 금성 : 95기압의 CO_2 대기, 샛별, 온실 효과가 매우 크게 일어난다. 약 500℃

③ 화성 : 붉은색, 극관, 계절, 물 흐른 강의 흔적들이 있다.

④ 목성 : 가장 크고, 적도 아래에 붉은 대적점이 있다.

⑤ 토성 : 고리가 가장 뚜렷하고 아름다우며, 위성 수가 가장 많다.

(3) 지구의 형성과 생명체 탄생

1) 원시 지구의 형성

미행성 충돌 　 마그마 바다 　 원시 지각과 바다 형성 　 원시 지구 대기 형성

2) 원시 대기의 변화

① 기권의 형성 : 가벼운 기체인 H_2와 He은 대부분 지구를 탈출하였고, 화산 활동으로 분출된 기체가 원시 대기를 형성하였다.

② 원시 대기 : 수증기(H_2O), 이산화탄소(CO_2), 질소(N_2), 메테인(CH_4), 암모니아(NH_3) 등

③ 원시 대기의 조성 변화

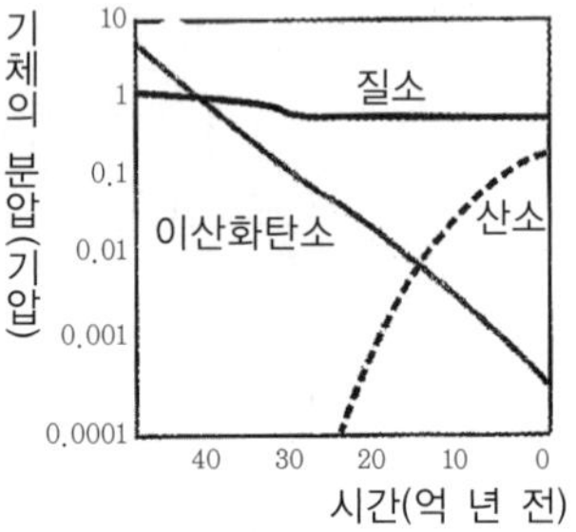

㉠ **질소** : 화산 분출과 암모니아(NH_3)의 광분해 등으로 생성된 질소는 반응성이 작고 안정하여 양에 큰 변화가 없이 현재까지 유지되고 있다.

㉡ **이산화탄소** : 대기 중의 이산화탄소는 바다에 녹아들어가 석회암($CaCO_3$)이 되었고, 식물의 광합성에 의해 더욱 양이 감소하였다.

㉢ **산소(O_2)** : 약 25억 년 전에 바다에 해조류가 출현, 광합성을 시작하여 산소의 양이 증가하였고, 산소가 증가함에 따라 오존층을 형성, 태양으로부터 오는 자외선을 차단함으로써 생물들이 수중에서 육상으로 진출하게 되었다.

02 물질의 규칙성

01. 원소의 주기성

(1) 원소와 주기율표

1) **원소** : 물질을 구성하는 기본적인 성분 (현재까지 110여종)

2) **주기율의 역사**

① 되베라이너(1817년) : 세쌍 원소 발견

② 멘델레예프(1869년) : 당시 63종의 원소를 원자량 순으로 배열한 최초의 주기율표

③ 모즐리(1913년) : 원소를 원자번호(양성자 수) 순으로 배열, 현대의 주기율표를 완성

(2) 현대의 주기율표(모즐리)

1) **주기율** : 원소들을 원자번호 순서로 나열할 때 화학적 성질이 비슷한 원소들이 일정한 간격으로 반복되어 나타나는 현상이다.

2) **주기** : 주기율표의 가로줄을 말하며, 1~7주기까지 있다.

- 같은 주기의 원소들은 모두 같은 수의 전자껍질을 갖는다.

3) **족** : 주기율표의 세로줄을 말하며, 1~18족까지 있다.

- 같은 족의 원소들은 원자가 전자수가 같아 비슷한 화학적 성질을 갖는다.

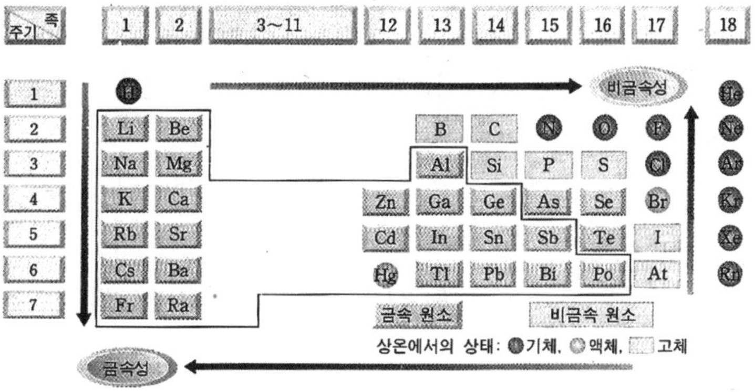

구분	금속 원소	비금속 원소
특징	· 대부분 특유의 광택이 있다. · 열과 전기를 잘 통한다. · 외부에서 힘을 가해도 부서지지 않으며, 길게 뽑거나 넓게 펼 수 있다.	· 금속과 달리 광택이 없다. · 열과 전기를 잘 통하지 않는다. (단, 흑연 제외)
실온에서의 상태(25℃)	대부분 고체 (단, 수은 제외)	대부분 기체 or 고체 (단, 브로민 제외)
몇몇 원소의 이용 예	· 철 : 회백색이며, 자동차, 선박, 각종 건축자재로 사용되며, 부식되는 단점이 있다. · 구리 : 붉은색이고, 특히 전기를 잘 통하므로 전선의 재료로 많이 이용된다. · 알루미늄 : 은백색이고, 가벼워서 호일, 음료 캔, 창틀 재료로 이용된다. · 질소 : 반응성이 작아 식품 포장 충전 기체로 많이 이용된다. · 산소 : 반응성이 크며, 물질의 연소, 생명체의 호흡에 이용된다. · 수소 : 폭발성이 있으며, 우주 왕복선, 연료 전지의 원료로 이용된다. · 헬륨 : 반응성이 작아 풍선(벌룬) 등에 이용한다.	

(3) 원소들의 주기성의 이유(전자배치)

1) 원자의 구조

① 원자 = 원자핵(양성자, 중성자) + 전자

② 원자번호 = 양성자수 = 전자수

∴ 원자는 전기적으로 중성이다.

헬륨(He) 원자

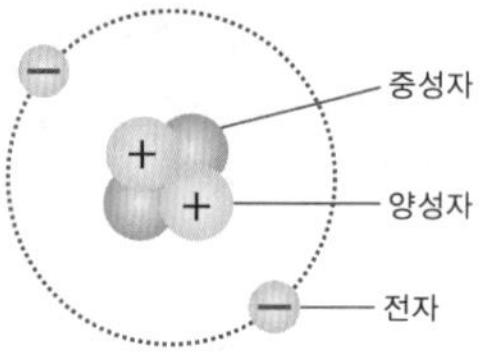

양성자(2)=전자(2)

2) 원자의 전자배치

1913년 보어(Bohr)는 원자핵 주위의 전자가 특정한 에너지 준위의 궤도를 따라 원운동 한다는 원자 모형을 제안했는데, 이 궤도를 전자껍질이라고 말한다.

① 전자 배치의 원리

㉠ 전자는 원자핵에서 가장 가까운 전자껍질부터 차례로 배치된다.

㉡ 각 전자껍질의 최대 배치 전자수

구 분	첫 번째 전자껍질	두 번째 전자껍질	세 번째 전자껍질
최대 배치 전자수	2개	8개	18개

② 원자가 전자 : 가장 바깥쪽 전자껍질에 배치되어 있는 전자로, 원소의 화학적 성질을 결정, 같은 족 원소들은 원자가 전자수가 같아 화학적 성질이 서로 유사하다.

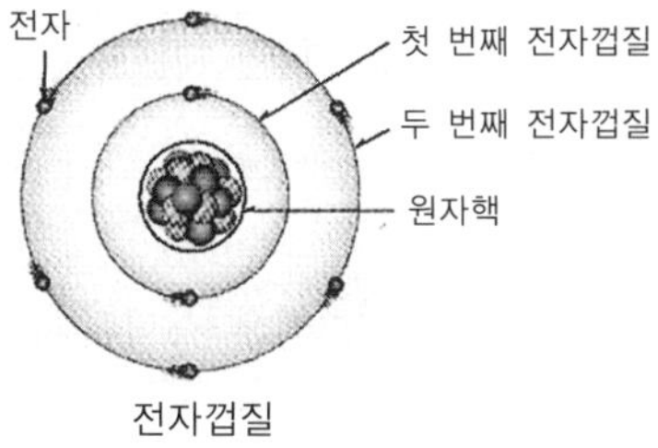

원자	H	He	C	N	O	F
총 전자	1개	2개	6개	7개	8개	9개
전자 배치 (+ :원자핵)	+	2+	6+	7+	8+	9+
원자가 전자	1개	0개	4개	5개	6개	7개

3) **원소들이 주기성을 갖는 이유** : 원자번호가 증가할수록 원소의 화학적 성질을 결정하는 원자가 전자수가 주기적으로 반복되기 때문이다.

(4) 원소들의 주기성

1) 알칼리 금속의 특징

① 주기율표의 1족에 속하는 원소(H 제외)
- 리튬(Li), 나트륨(Na), 칼륨(K), 루비듐(Rb) ...

② 상온에서 모두 고체이며, 은백색 광택을 띤다.

③ 다른 금속에 비해 밀도가 작고, 칼로 잘리는 무른 금속이다.

④ 알칼리 금속은 원자가 전자수가 1개, 전자 1개를 잃고 +1가 양이온이 되기 쉽다.

⑤ 반응성이 커서 공기 중의 산소와 빠르게 반응하여 광택을 잃는다.

$$4Na + O_2 \rightarrow 2Na_2O$$

⑥ 상온에서 물과 격렬하게 반응하여 수소 기체를 발생, 용액은 염기성을 나타낸다.

$$2Na + 2H_2O \rightarrow 2NaOH + H_2 \uparrow$$

⑦ 할로젠 원소와 격렬하게 반응한다.

$$2Na + Cl_2 \rightarrow 2NaCl$$

⑧ 보관 : 반응성이 크므로 물과 산소의 접촉을 막는 석유, 액체 파라핀 등에 넣어 보관한다.

⑨ 반응성 : 원자번호가 클수록 반응성이 크다.
- 리튬(Li) 〈 나트륨(Na) 〈 칼륨(K) 〈 루비듐(Rb) ...

물과 Na의 반응 ▶

알칼리 금속	Li	Na	K
칼로 자른 후 단면의 변화	광택이 서서히 사라짐	광택이 금방 사라짐	광택이 빠르게 사라짐
물에 넣었을 때의 변화	빠르게 반응	격렬하게 반응	매우 격렬하게 반응
페놀프탈레인 용액을 넣었을 때	붉게 변함	붉게 변함	붉게 변함
생활 속의 이용	휴대전화 배터리	도로, 터널 안의 조명	칼륨 비료

2) 할로젠 원소의 특징

① 주기율표의 17족에 속하는 비금속 원소

- 플루오린(F), 염소(Cl), 브로민(Br), 아이오딘(I)

② 상온에서 2원자 분자로 존재, 특유의 색깔을 띤다.

③ 할로젠 원소는 원자가 전자수가 7개, 전자 1개를 얻어 −1가 음이온이 되기 쉽다.

④ 반응성이 매우 커서 알칼리 금속이나 수소와 잘 반응한다.

$2Na + Cl_2 \rightarrow 2NaCl$　　$H_2 + F_2 \rightarrow 2HF$

⑤ 반응성 : 원자번호가 작을수록 반응성이 크다.

$F_2 > Cl_2 > Br_2 > I_2$

염소, 브로민, 아이오딘

할로젠 원소	F_2	Cl_2	Br_2	I_2
색깔 및 상온 상태	옅은 황색 기체	황록색 기체	적갈색 액체	보라색 고체
Na, 수소와의 반응	매우 격렬하게 반응	격렬하게 반응	빠르게 반응	반응
생활 속의 이용	충치 예방용 치약	물의 살균, 소독	사진 필름	상처 치료용 소독약

02. 화학 결합과 물질의 생성

(1) 비활성 기체(18족)의 전자 배치 : 반응성이 거의 없다. 안정(1원자 분자)

① 주기율표의 18족 : 헬륨(He), 네온(Ne), 아르곤(Ar) 등

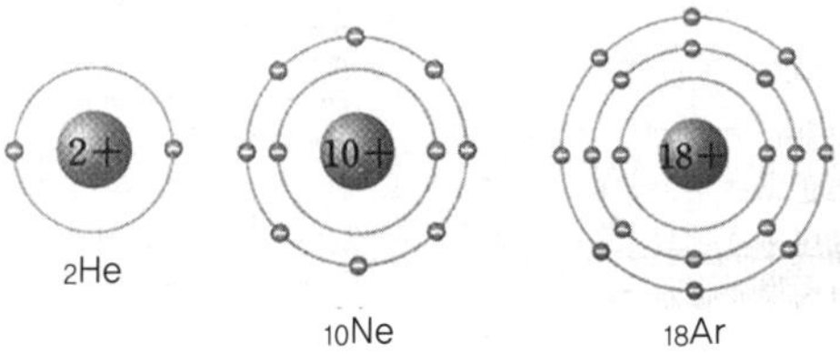

② 안정한 이유 : 가장 바깥쪽 전자껍질에 8개(단, 헬륨 2개)의 전자 배치(옥텟 규칙)

비활성 기체	헬륨(He)	네온(Ne)	아르곤(Ar)
생활 속의 이용	풍선, 광고용 벌룬	광고판, 네온사인	형광등 기체

③ 화학 결합을 형성하는 이유 : 18족 이외의 원소들은 불안정, 다른 원소와 화학 결합을 통해 비활성 기체의 전자 배치를 하여 안정해지려 한다.

(2) 화학 결합의 종류

1) **이온 결합** : 양이온과 음이온 사이의 정전기적 인력에 의한 결합

① 이온 결합 = 금속 원소의 원자 + 비금속 원소의 원자

② 이온 결합의 형성 : 비활성 기체의 전자 배치를 이루려 한다.

㉠ 나트륨 원자(Na) + 염소 원자(Cl) → 염화나트륨(NaCl)

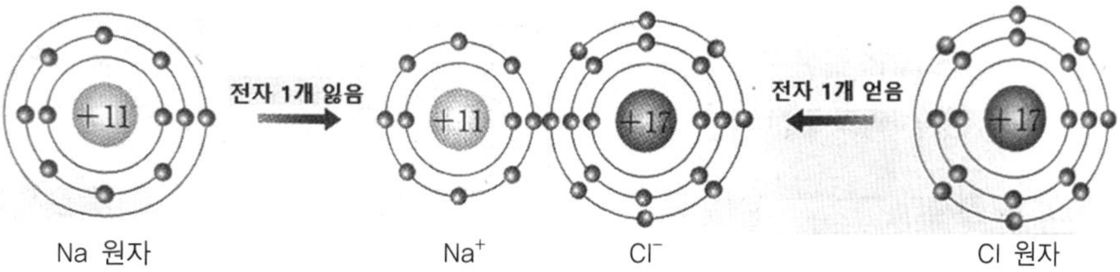

㉡ 칼슘 원자(Ca) + 염소 원자(2Cl) → 염화칼슘($CaCl_2$)

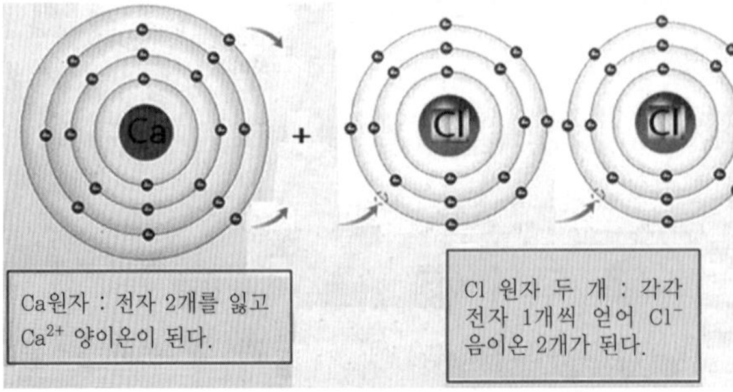

2) **공유 결합** : 원자가 전자를 각각 내놓고 전자쌍을 공유하는 결합

① 공유 결합 = 비금속 원소의 원자 + 비금속 원소의 원자

② 공유 전자쌍과 비공유 전자쌍

㉠ 공유 전자쌍 : 두 원자에 공유되어 결합에 참여하는 전자쌍

㉡ 비공유 전자쌍 : 공유 결합에 참여하지 않은 전자쌍

③ 공유 결합의 형성 : 비활성 기체와 같은 전자 배치를 이루려 한다.

㉠ H_2, H_2O 분자의 공유 결합

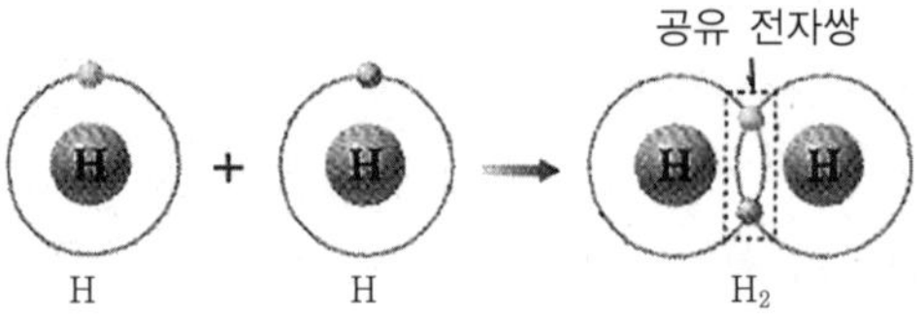

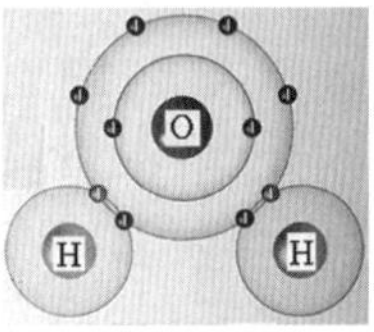

H_2O 분자

㉡ O_2, CO_2, N_2 분자의 공유 결합

산소(O_2)	이산화탄소(CO_2)	질소(N_2)
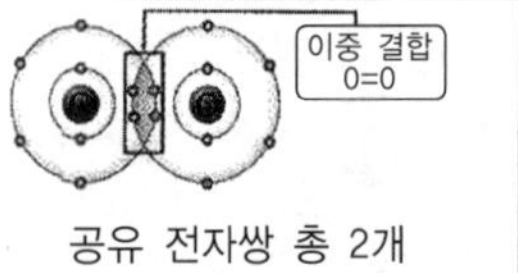	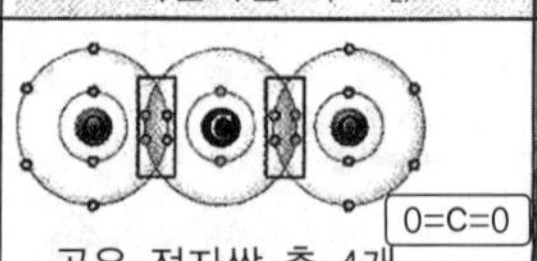	
공유 전자쌍 총 2개 이중 결합 총 1개	공유 전자쌍 총 4개 이중 결합 총 2개	공유 전자쌍 총 3개 삼중 결합 총 1개

④ 극성과 무극성의 판별 : 대체로 일직선, 대칭 구조는 무극성 분자이며, 굽은형, 비대칭 구조는 극성 분자이다.

⑤ 공유 결합의 종류와 세기 : 단일 결합 〈 이중 결합 〈 삼중 결합

(3) 우리 주변의 다양한 물질

1) 이온 결합 물질

① 실제로는 양이온과 음이온이 연속적으로 결합하여 결정을 이룬다.

② 화학식 : 양이온과 음이온의 개수비를 가장 간단한 정수비로 표시한다.

예 염화나트륨

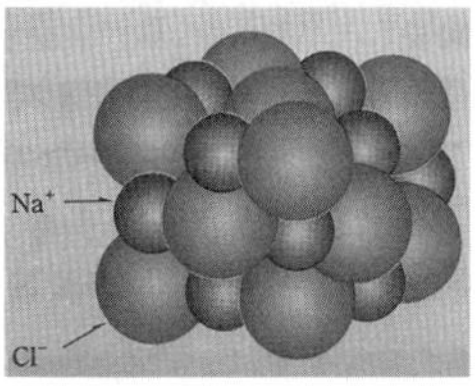

⟹

양이온 음이온

NaCl

(1은 생략)

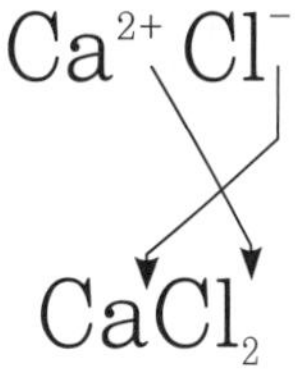

(1은 생략)

③ 이온 결합 물질의 특징

㉠ 양이온과 음이온 간의 정전기적 인력에 의한 결합이므로 녹는점과 끓는점이 높다.

㉡ 상온에서 결정을 이루어 단단하지만, 힘을 가하면 쉽게 쪼개지거나 부스러진다.

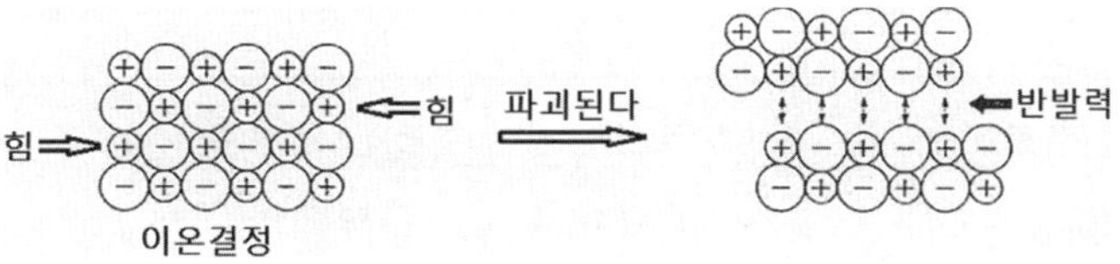

㉢ 고체에서는 전기 전도성이 없으나 액체나 수용액 상태에서는 전기 전도성이 있다.

- 이온들이 자유롭게 이동할 수 있기 때문이다.

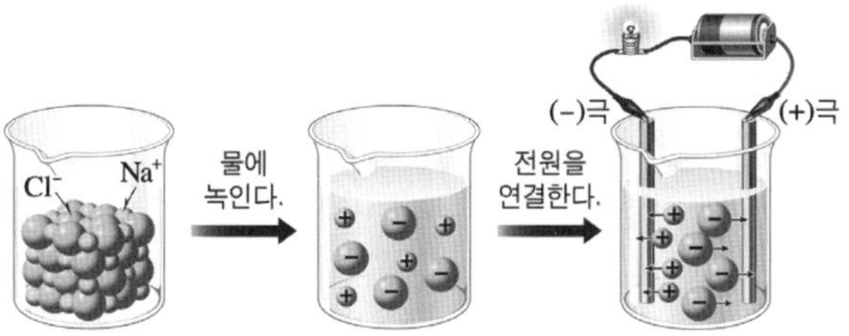

④ 이온 결합 물질의 이용

물질	특징	물질	특징
염화나트륨(NaCl)	소금의 주성분	수산화마그네슘($Mg(OH)_2$)	제산제의 주성분
수산화나트륨(NaOH)	비누 제조에 사용	염화칼슘($CaCl_2$)	습기 제거제, 제설제
탄산칼슘($CaCO_3$)	산호초, 조개, 달걀껍데기 성분	탄산수소나트륨($NaHCO_3$)	베이킹파우더의 주성분

2) 공유 결합 물질

① 공유 결합 물질의 특징

㉠ 분자 사이의 결합력이 약해, 실온에서 액체나 기체, 녹는점, 끓는점이 비교적 낮다.

㉡ 대부분 물에 잘 녹지 않지만 설탕, 염화수소, 암모니아 등은 물에 녹는다.

㉢ 물에 녹아도 중성의 분자 상태, 전하를 띠는 입자가 없어 전기 전도성이 없다. (단, 흑연과 염화수소, 암모니아는 제외)

② 공유 결합 물질의 이용

물질	특징	물질	특징
설탕($C_{12}H_{22}O_{11}$)	음식의 조미료	뷰테인(C_4H_{10})	휴대용 가스 연료
에탄올(C_2H_6O)	소독용, 술 제조	아스피린($C_9H_8O_4$)	의약품(해열제)

1. 오른쪽 그래프는 외부 은하까지의 거리와 은하의 후퇴 속도를 나타낸 것이다.
옳은 것을 〈보기〉에서 모두 고른 것은?

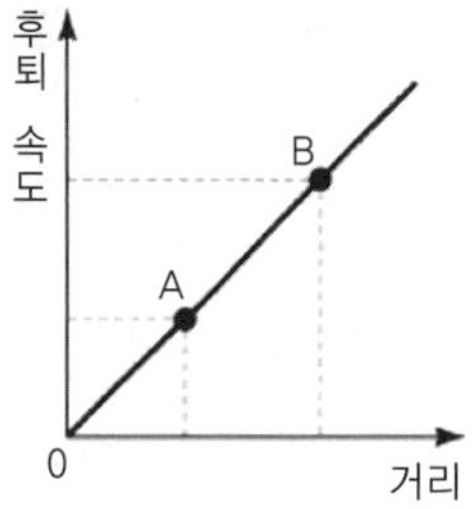

〈보기〉

ㄱ. 후퇴 속도는 A보다 B가 빠르다.
ㄴ. 지구와의 거리는 A가 B보다 멀다.
ㄷ. 먼 은하일수록 후퇴 속도가 더 빠르다.

① ㄱ, ㄴ
② ㄱ, ㄷ
③ ㄴ, ㄷ
④ ㄱ, ㄴ, ㄷ

2. 다음 그림은 빅뱅우주론을 비유한 모형이다.

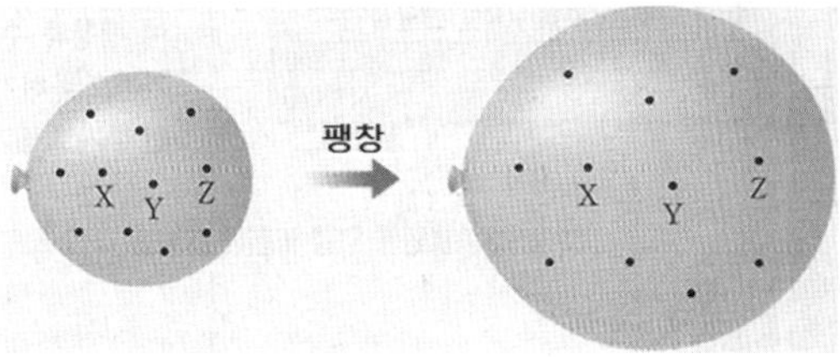

이에 대한 설명으로 옳은 것을 〈보기〉에서 모두 고른 것은?

〈보기〉

ㄱ. 우주는 빅뱅으로 팽창하고 있다.
ㄴ. 우주의 밀도는 팽창하여도 일정하다.
ㄷ. 은하들 사이가 멀어지고 있다.

① ㄱ, ㄴ
② ㄴ, ㄷ
③ ㄱ, ㄷ
④ ㄱ, ㄴ, ㄷ

3. 기본 입자, 양성자, 중성자에 대한 설명으로 옳지 않은 것은?

① 쿼크와 전자는 기본 입자에 속한다.
② 기본입자는 가장 먼저 만들어진 더 이상 분해할 수 없는 입자이다.
③ 양성자와 중성자는 모두 쿼크로 이루어진 입자들이다.
④ 양성자는 +1, 중성자는 −1의 전하를 갖는다.

4. 다음은 헬륨 원자핵을 이루는 입자들의 형성 과정에 따라 나타낸 것이다.

쿼크	→	양성자 중성자	→	헬륨 원자핵
(가)		(나)		(나)

이에 대한 설명으로 옳은 것을 〈보기〉에서 모두 고른 것은?

〈보기〉

ㄱ. (가)는 더 이상 분해할 수 없는 기본 입자이다.
ㄴ. (나)의 양성자는 (+)전하를, 중성자는 전하를 띠지 않는다.
ㄷ. (다)는 빅뱅 후 약 38만 년이 경과한 후에 만들어졌다.

① ㄱ
② ㄴ
③ ㄱ, ㄴ
④ ㄱ, ㄴ, ㄷ

5. 오른쪽 그림은 헬륨 원자(He)를 모형으로 나타낸 것이다. 이에 대한 설명으로 옳지 않은 것은?

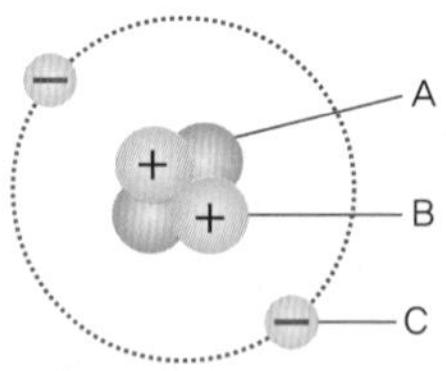

① A는 중성자이다.
② (A+B)를 원자핵이라고 한다.
③ C는 전자이며, 원자핵 주위에 정지해 있다.
④ 원자 전체는 전기적으로 중성이다.

6. 다음은 우주의 나이가 약 38만 년일 때에 일어난 변화이다.

· 수소 원자핵 + 전자 → 수소 원자
· 헬륨 원자핵 + 전자 → 헬륨 원자

이에 대한 설명으로 옳은 것을 〈보기〉에서 모두 고른 것은?

〈보기〉

ㄱ. 원자핵과 전자가 결합하여 원자가 생성되었다.
ㄴ. 원자는 전기적으로 (+)전하를 띤다.
ㄷ. 이 시기에 방출된 빛이 우주 배경 복사가 되었다.

① ㄱ
② ㄴ
③ ㄱ, ㄷ
④ ㄱ, ㄴ, ㄷ

7. 다음은 별의 중심부에서 일어나는 수소 핵융합 반응이다.

이에 대한 설명으로 옳은 것을 〈보기〉에서 모두 고른 것은?

〈보기〉

ㄱ. 수소 원자 4개가 융합하여 헬륨 원자핵을 생성한다.
ㄴ. 주계열성의 중심부에서 일어나는 반응이다.
ㄷ. 핵융합 반응 전보다 후에 질량이 증가한다.

① ㄱ
② ㄷ
③ ㄱ, ㄴ
④ ㄴ, ㄷ

8. 다음은 태양과 질량이 비슷한 별의 진화 경로를 나타낸 것이다.

이에 대한 설명으로 옳은 것을 〈보기〉에서 모두 고른 것은?

〈보기〉

ㄱ. (가) 단계에서 중심핵의 바깥층에서 수소 핵융합 반응이 일어난다.
ㄴ. (가) → (나) 과정에서 별은 붉은색을 띠며 크기가 점점 커진다.
ㄷ. (다) 단계에서는 중심부에 블랙홀이 생성된다.

① ㄱ ② ㄴ
③ ㄱ, ㄴ ④ ㄱ, ㄴ, ㄷ

9. 다음은 어느 별의 진화 과정을 나타낸 것이다.

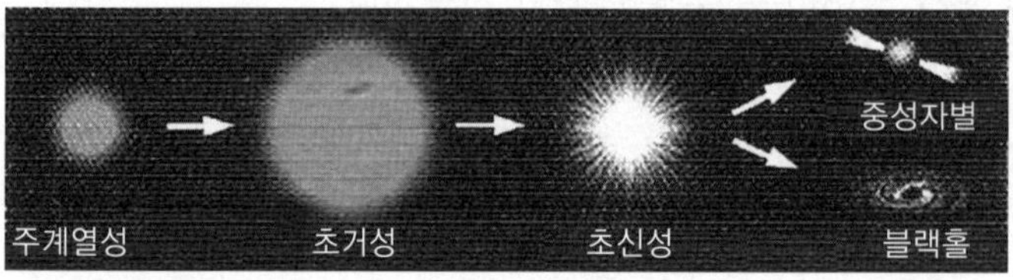

이에 대한 설명으로 옳은 것을 〈보기〉에서 모두 고른 것은?

〈보기〉

ㄱ. 태양 정도의 질량을 갖는 별의 진화 과정이다.
ㄴ. 중심부에서 핵융합 반응에 의해 철까지 만들어진다.
ㄷ. 초신성이 폭발할 때 철보다 무거운 원소들이 생성된다.
ㄹ. 초신성 폭발 후 중심핵이 수축하여 블랙홀이 되기도 한다.

① ㄱ, ㄴ ② ㄷ, ㄹ
③ ㄴ, ㄷ, ㄹ ④ ㄱ, ㄷ, ㄹ

10. 오른쪽 그림은 행성들의 물리량을 그룹으로 표현한 것이다. 이에 대한 설명으로 옳은 것을 〈보기〉에서 모두 고른 것은?

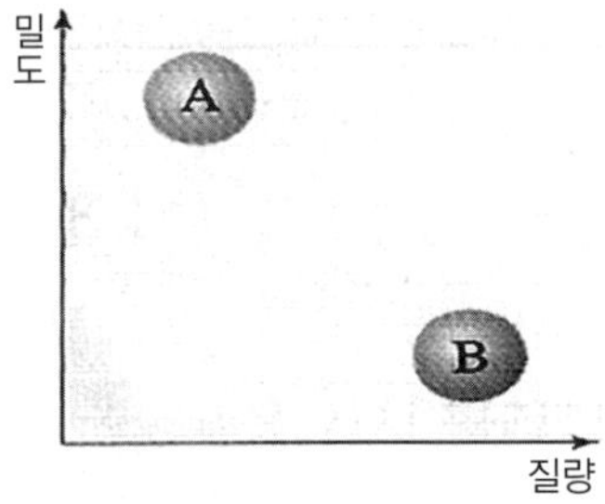

〈보기〉

ㄱ. A행성은 지구형, B행성은 목성형이다.
ㄴ. A행성이 B행성보다 반지름이 크다.
ㄷ. A행성보다 B행성이 구성원소가 무겁다.
ㄹ. A행성보다 B행성이 평균 밀도가 작다.

① ㄱ, ㄴ　　② ㄴ, ㄷ
③ ㄴ, ㄹ　　④ ㄱ, ㄹ

11. 다음 그림은 지구가 형성되는 과정을 나타낸 것이다.

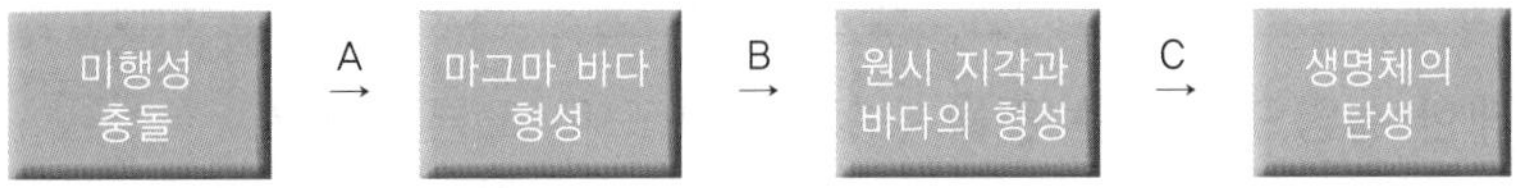

이에 대한 설명으로 옳은 것을 〈보기〉에서 모두 고른 것은?

〈보기〉

ㄱ. A과정에서 지표면의 온도가 높아졌다.
ㄴ. B과정에서 지구 중심부의 밀도는 낮아졌다.
ㄷ. 바다가 형성되면서 이산화탄소 양이 감소하였다.
ㄹ. 지구 최초의 생명체는 육지에서 탄생하였다.

① ㄱ, ㄴ　　② ㄴ, ㄷ
③ ㄱ, ㄷ　　④ ㄷ, ㄹ

12. 주기율표에 대한 설명으로 옳은 것을 〈보기〉에서 모두 고른 것은?

〈보기〉

ㄱ. 현재의 주기율표는 원자번호(양성자) 순으로 나열하였다.
ㄴ. 같은 주기에 속하는 원소들은 화학적 성질이 유사하다.
ㄷ. 1~7주기, 1~18족으로 구성되어 있다.
ㄹ. 같은 족에 속하는 원소들은 서로 전자 껍질수가 같다.

① ㄱ, ㄴ
② ㄱ, ㄷ
③ ㄴ, ㄷ
④ ㄷ, ㄹ

13. 다음은 몇 가지 원소들의 광택과 열, 전기 전도성을 조사한 것이다.

원소	A	B	C	D
광택 유무	있음	없음	없음	있음
열, 전기 전도성	있음	없음	없음	있음

이에 대한 설명으로 옳은 것을 〈보기〉에서 모두 고른 것은?

〈보기〉

ㄱ. A, D는 금속, B, C는 비금속 원소이다.
ㄴ. 철과 구리는 B, C에 해당한다.
ㄷ. 탄소와 산소는 A, D에 해당한다.

① ㄱ
② ㄷ
③ ㄱ, ㄴ
④ ㄱ, ㄴ, ㄷ

14. 다음은 비금속 원소인 N, O, F 의 총 전자수와 전자배치를 나타낸 것이다.

N	O	F
7개	8개	9개

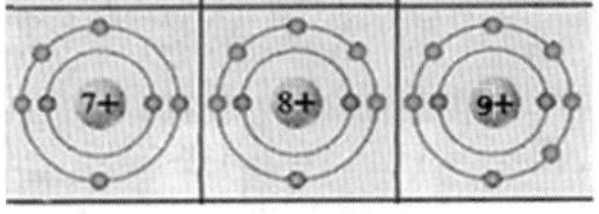

이에 대한 설명으로 옳은 것을 〈보기〉에서 모두 고른 것은?

〈보기〉

ㄱ. 모두 17족 할로젠 원소이다.
ㄴ. 전자 껍질수가 2개로 모두 2주기 원소이다.
ㄷ. 원자가 전자수는 플루오린(F)이 7개로 가장 많다.

① ㄱ　② ㄷ
③ ㄱ, ㄴ　④ ㄴ, ㄷ

15. 다음 원소들의 공통된 특징이 <u>아닌</u> 것은?

Li　Na　K　Rb

① 주기율표의 17족 할로젠 원소이다.
② 밀도가 작고, 칼로도 잘라지는 무른 금속이다.
③ 반응성이 매우 커서 물, 산소와도 잘 반응한다.
④ 석유나 액체 파라핀에 넣어 보관한다.

16. 다음은 할로젠 원소에 대한 설명이다. 옳지 <u>않은</u> 것을 고르면?

① 주기율표의 17족에 속하는 F, Cl, Br, I 원소이다.
② 상온에서 2원자 분자로 존재하며, 특유의 색깔을 띤다.
③ 할로젠 원소는 원자가 전자수가 7개로 음이온이 되기 쉽다.
④ 원자번호가 가장 큰 아이오딘(I)의 반응성이 크다.

17. 다음 그림은 나트륨 원자와 염소 원자가 반응하여 염화나트륨을 형성하는 화학결합이다.

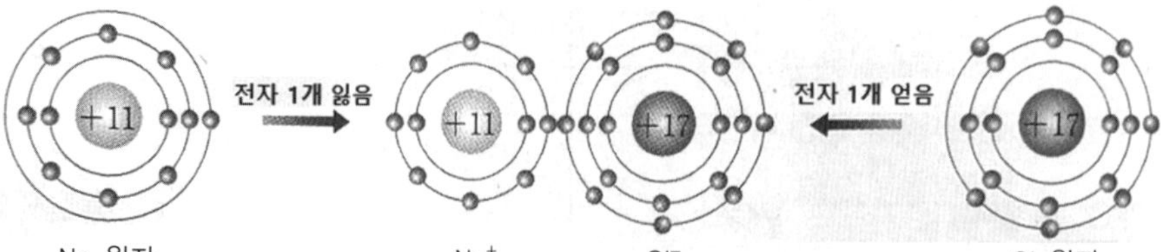

이에 대한 설명으로 옳은 것을 〈보기〉에서 모두 고른 것은?

〈보기〉

ㄱ. 나트륨(Na)과 염소(Cl) 원자는 같은 주기 원소이다.
ㄴ. 나트륨 이온(Na^+)과 염화 이온(Cl^-)은 옥텟 규칙을 만족한다.
ㄷ. 염화나트륨(NaCl)을 형성하는 결합은 이온결합이다.

① ㄱ　　② ㄷ
③ ㄱ, ㄴ　　④ ㄱ, ㄴ, ㄷ

18. 다음은 질소 분자와 물 분자의 화학결합 그림이다.

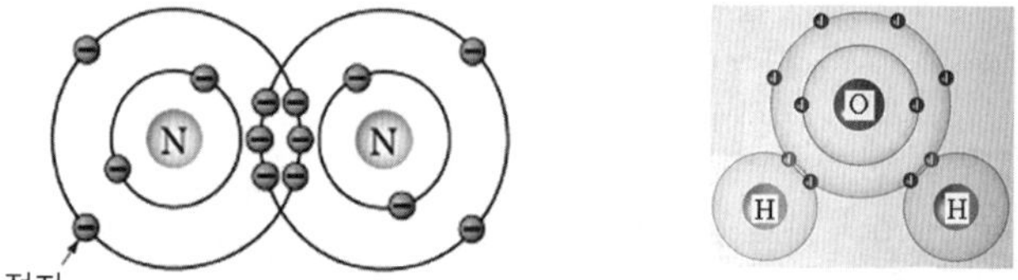

이에 대한 설명으로 옳은 것을 〈보기〉에서 모두 고른 것은?

〈보기〉

ㄱ. 질소 분자와 물 분자 모두 극성 분자이다.
ㄴ. 공유 전자쌍은 질소가 3쌍으로 물 분자보다 많다.
ㄷ. 비공유 전자쌍은 질소 분자가 물 분자보다 많다.

① ㄱ　　② ㄴ
③ ㄱ, ㄴ　　④ ㄴ, ㄷ

19. 다음은 어떤 물질에 대한 성질을 조사한 것이다.

> · 실온에서 고체이다.
> · 수용액은 전기를 잘 통한다. 예 NaCl, $MgCl_2$

이 물질에 대한 설명으로 옳은 것을 고르면?

① 공유 결합 물질이다.
② 금속에 해당한다.
③ 넓게 펴지는 성질이 있다.
④ 수용액에 이온이 존재한다.

20. 다음은 고체 상태의 염화나트륨과 설탕을 나타낸 것이다.

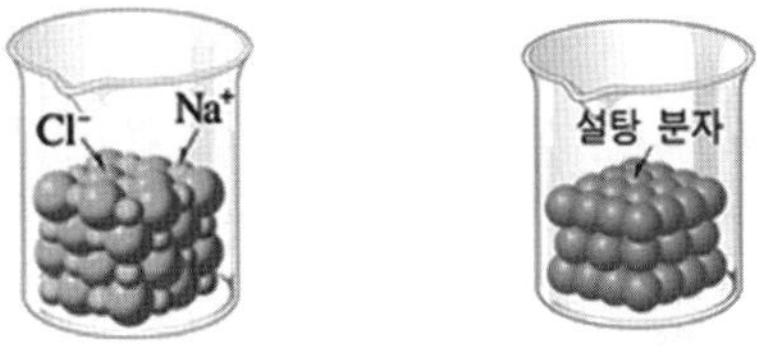

이에 대한 설명으로 옳은 것을 〈보기〉에서 모두 고른 것은?

〈보기〉

> ㄱ. 염화나트륨은 금속과 비금속의 이온 결합이다.
> ㄴ. 설탕은 비금속 원자 간의 공유 결합이다.
> ㄷ. 염화나트륨과, 설탕 모두 수용액 상태에서 전기 전도성이 있다.

① ㄱ, ㄴ
② ㄴ, ㄷ
③ ㄱ, ㄷ
④ ㄱ, ㄴ, ㄷ

02

03. 자연의 구성 물질
04. 신소재
05. 역학적 시스템

03 자연의 구성 물질

01. 지각과 생명체의 구성 물질

(1) 지각과 생명체의 구성 원소 비교

순위	지 각		생 명 체	
	원소	비율(%)	원소	비율(%)
1	O	46.6	O	62.0
2	Si	27.7	C	20.0
3	Al	8.1	H	10.0
4	Fe	5.0	N	3.0

(2) 지각을 구성하는 물질의 결합 규칙성

1) 규산염 광물 : 규소(Si)와 산소(O)의 규산염 사면체를 기본구조로 형성된 광물

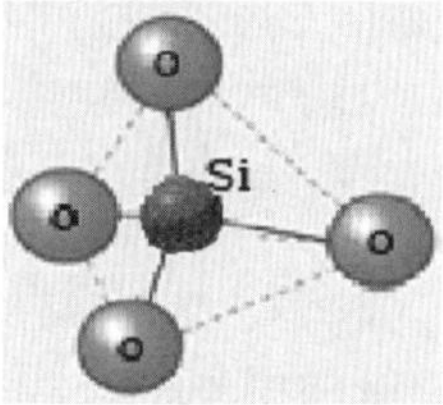

Si–O 사면체

① 규소는 14족 원소로 원자가 전자가 4개이므로 최대 4개의 산소 원자와 공유 결합이 가능하다.

② 규산염 사면체는 Si^{4+}와 4개의 O^{2-}가 결합하여 전체 −4의 음전하를 띠므로 인접한 양이온과 결합하거나 각 사면체의 모든 산소를 다른 규산염 사면체와 공유하여 전기적으로 중성이 된다.

2) 규산염 광물의 결합 규칙성

구분	독립형 구조	단사슬 구조	복사슬 구조	판상 구조	망상 구조
결합 형태	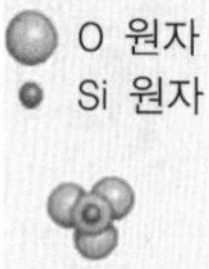	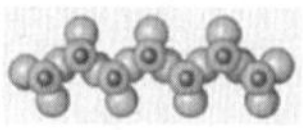	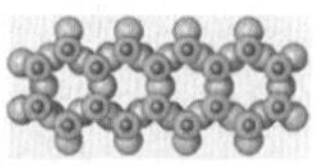	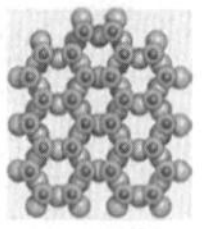	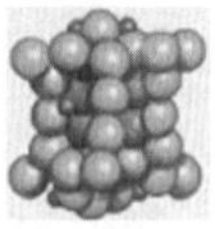
특징	사면체 1개로 이루어진 독립 사면체 구조	사면체가 1 줄로 길게 이어진 단일 사슬 구조	사면체가 2줄로 길게 이어진 2중 사슬 구조	사면체가 산소 3개를 공유하여 평면으로 넓게 판 모양 구조	사면체가 산소 4개를 모두 공유한 3차원 입체 구조
광물	감람석	휘석	각섬석	흑운모	석영, 장석

(3) 생명체를 구성하는 물질의 결합 규칙성

1) **탄소 화합물** : 탄소(C)를 중심 원소로 하여 수소, 산소, 질소 등이 결합하여 형성된 물질

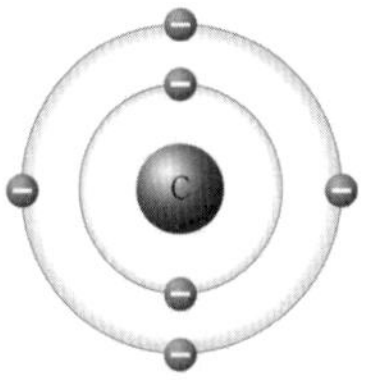

탄소는 14족 원소로 원자가 전자가 4개이므로 최대 4개의 다른 원자와 공유 결합을 형성할 수 있다.

2) **탄소 화합물의 결합 규칙성**

구분				
구분	결합 수에 따른 분류	단일 결합	이중 결합	삼중 결합
		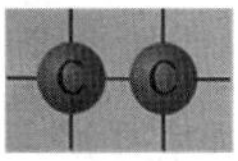	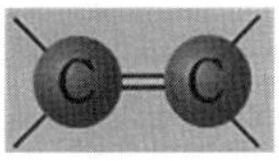	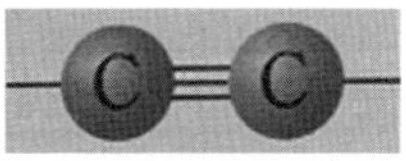
	모양(형태)에 따른 분류	사슬 모양	가지 모양	고리 모양
		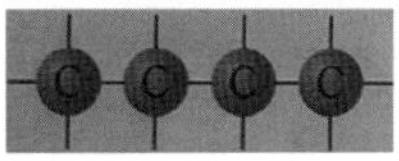	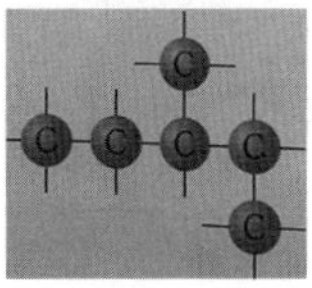	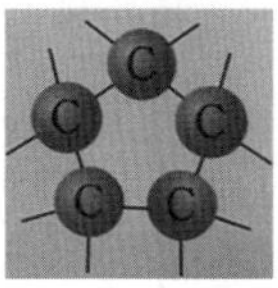

02. 생명체를 구성하는 탄소 화합물

(1) 생명체 구성 물질 중 무기물

1) **물** : 생명체 내에 가장 많은 양을 차지하며, 비열이 커서 체온 조절 그리고 영양소, 호르몬, 노폐물 등의 운반에도 관여한다.

2) **무기염류** : 나트륨(Na), 칼슘(Ca), 칼륨(K) 등으로 다양한 생리 작용을 조절하는 데 관여한다.

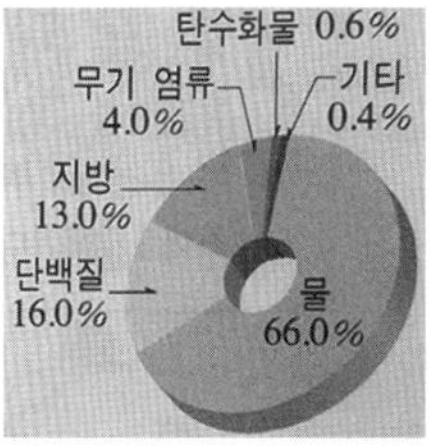

▲ 사람의 구성 물질

(2) 생명체 구성 탄소 화합물

1) 탄수화물 : 구성 원소는 C, H, O이며, 단위체는 포도당이다.

주 에너지원(4kcal/g)이며, 포도당, 엿당, 녹말, 글리코젠, 셀룰로스 등이 있다.

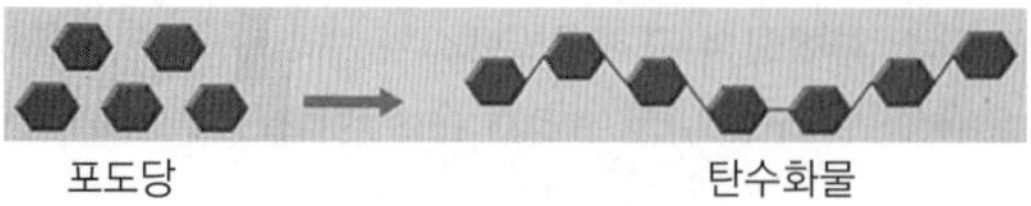

2) 단백질 : 구성 원소는 C, H, O, N이며, 단위체는 아미노산(20종)이다.

① 단백질의 기능 : 에너지원(4kcal/g)이며, 효소, 항체, 호르몬, 헤모글로빈, 세포막, 근육, 연골, 손톱 등의 주성분이다.

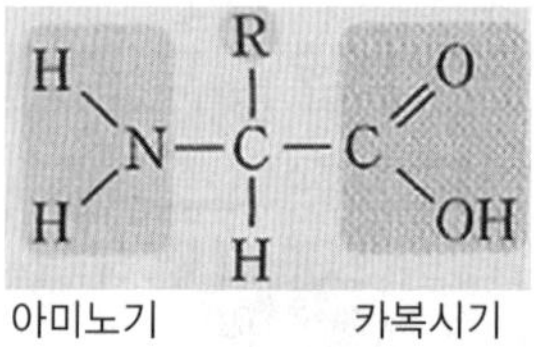

▲ 아미노산의 구조

② 단백질의 형성 과정

㉠ 20여종의 아미노산의 배열 순서에 따라 다양한 입체 구조를 갖게 된다.

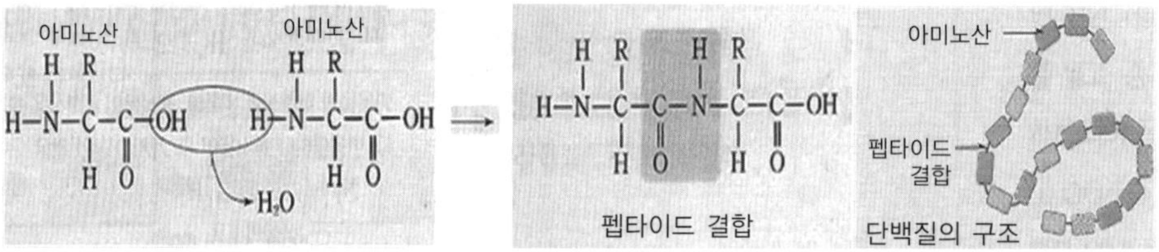

㉡ 펩타이드 결합 : 두 아미노산의 연결부분, 물(H_2O)이 빠져나오면서 연결된다.

3) 핵산(DNA, RNA) : 유전 물질이며 구성 원소는 C, H, O, N, P이고, 단위체인 뉴클레오타이드(인산, 당, 염기)가 공유 결합으로 연결된 구조이다.

① 핵산의 기능

㉠ DNA : 유전 정보를 저장하며, 이 정보에 따라 다양한 단백질이 합성된다.

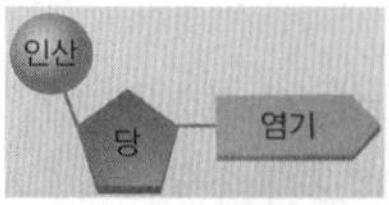

▲ 뉴클레오타이드

㉡ RNA : DNA의 유전 정보를 전달하거나 단백질 합성 과정에 관여한다.

② 핵산의 종류

구분	DNA	RNA
당	디옥시리보스	리보스
염기	아데닌(A), 구아닌(G), 사이토신(C), 타이민(T)	아데닌(A), 구아닌(G), 사이토신(C), 유라실(U)
분자 구조	2중 나선 구조	단일 가닥 구조
기능	유전 정보 저장	DNA 유전 정보의 전달

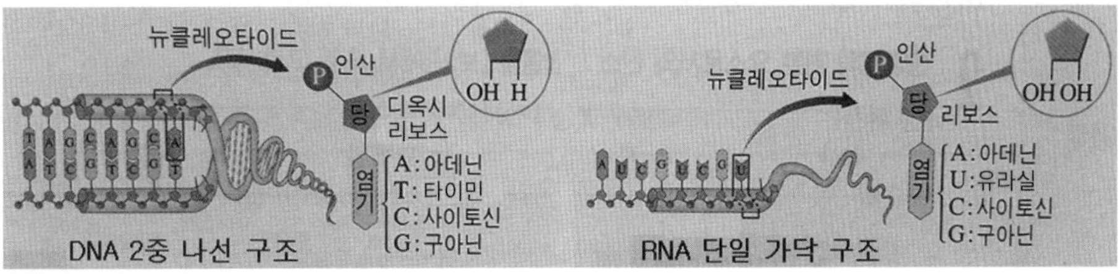

4) **지질** : 구성 원소는 C, H, O이며, 물에 녹지 않고 유기 용매에 잘 녹으며, 중성지방, 인지질, 스테로이드 등이 있다.

① 중성지방 : 에너지원(9kcal/g)이며, 지방산과 글리세롤로 구성되어 있다.

② 인지질 : 세포막이나 핵막과 같은 생체막의 주성분이다.

③ 스테로이드 : 성호르몬의 주성분이다.

04 신소재

01. 신소재와 우리 생활

신소재 화합물 조성이나 결합 구조를 변화시켜 새로운 성질을 갖게 만든 물질

(1) 전기적 성질에 따른 물질의 분류와 신소재

▸**도체** : 전기 저항이 작아 전류가 잘 흐르는 물질 예 철, 구리, 알루미늄...
▸**절연체(부도체)** : 전기 저항이 매우 커서 전류가 흐르지 않는 물질
예 고무, 유리, 플라스틱...
▸**반도체** : 도체와 절연체의 중간 정도의 전기적 성질을 갖는 물질 예 규소, 저마늄...

1) 반도체의 종류

① n형 반도체 : 원자가 전자가 4개인 규소(Si)에 원자가 전자가 5개인 인(P) 등을 소량 첨가(도핑)하면, 규소 원자와 공유 결합을 하지 못한 전자 1개가 남는다.
→ 전압을 걸어주면 남는 전자가 이동하면서 전류를 흐르게 한다.

② p형 반도체 : 원자가 전자가 4개인 규소(Si)에 원자가 전자가 3개인 알루미늄(Al) 등을 소량 첨가(도핑)하면, 규소와 알루미늄 사이에 빈 구멍인 양공(hole)이 생긴다.
→ 전압을 걸면 양공 가까이에 있는 전자가 이동해서 양공을 채운다.
마치 양공이 움직이는 것처럼 전류가 흐른다.

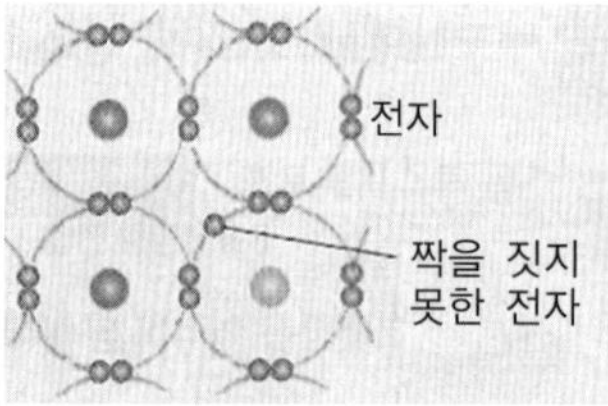

n형 반도체

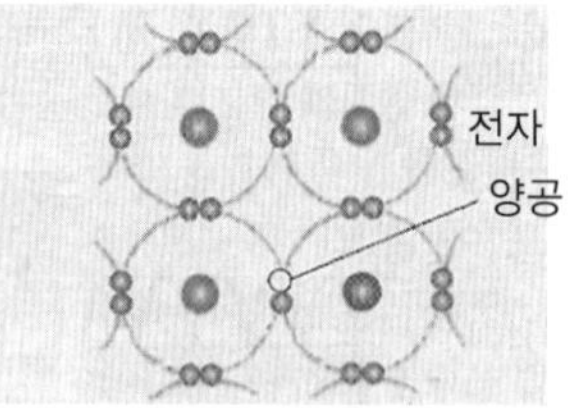

p형 반도체

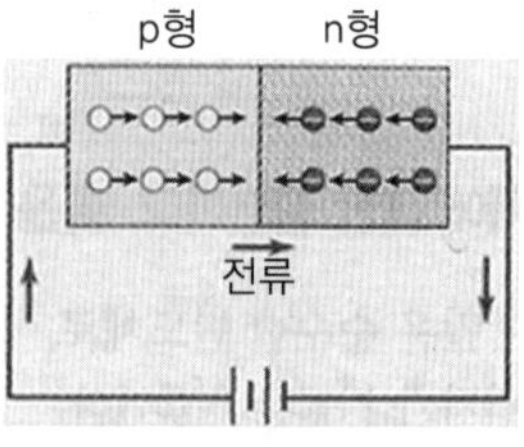

다이오드

2) 여러 전기적 성질의 이용

① 다이오드 : p형과 n형 반도체를 접합하여 만들며, 전류를 한쪽 방향으로만 흐르게 하므로 교류를 직류로 전환시키는 정류 작용에 사용된다.

② 발광 다이오드(LED) : 전류가 흐를 때 빛을 방출하도록 만든 다이오드로, 빨간색, 파란색, 초록색의 LED가 개발되어 각종 영상 표시 장치, 조명 장치, 리모컨, 신호등, 레이저, CD플레이어, 광통신, LED TV 광원 제작에 사용된다.

③ 유기 발광 다이오드(OLED) : 전류가 흐를 때 빛을 내는 유기 화합물을 사용, 자체 발광시키므로 별도의 광원이 필요한 LCD보다 얇고 가볍게 만들 수 있어, 휘어지는 디스플레이 개발에 사용된다.

④ 트랜지스터 : 반도체 3개(p−n−p)를 사용하여 만들며, 신호 증폭 작용, 스위치 작용을 하며, 소비 전력이 작고 특히 소형화가 가능하여 디지털 회로 제작 및 대부분의 전자 기기에 사용되고 있다.

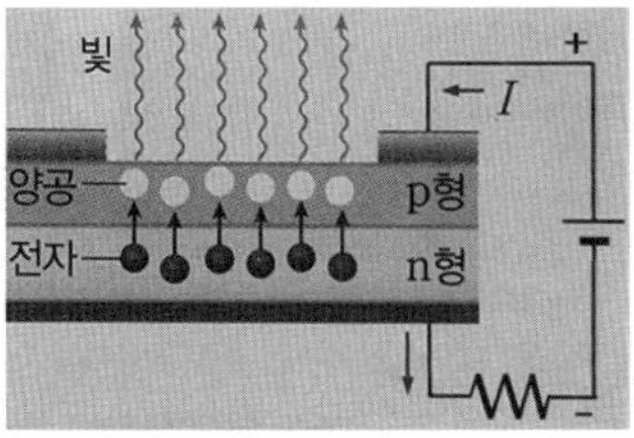

발광다이오드

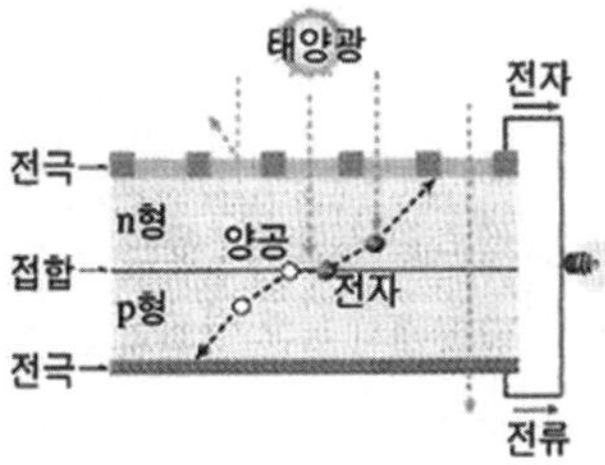

태양전지

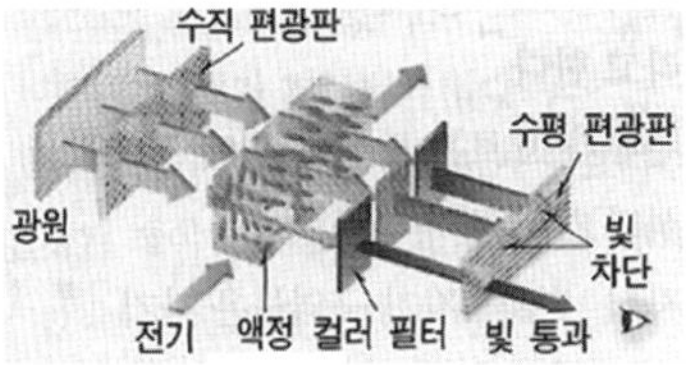

LCD

⑤ 태양전지 : n형과 p형 반도체를 이용하며, 빛에너지를 전기에너지로 전환시킨다.

⑥ 온도, 압력, 가스, 방사능 감지기 : 온도나 압력 등 여러 조건에 따라 전기 저항이 변하는 반도체를 이용한다.

⑦ 액정(LCD) : 고체와 액체의 성질을 모두 갖는 물질로, 전압을 가하면 분자의 배열이 변하므로 빛의 양을 조절할 수 있어, 다양한 영상 표시 장치 즉, 휴대폰, 고화질 TV, 컴퓨터 모니터 등에 사용된다.

(2) 자기적 성질에 따른 물질의 분류와 신소재

▸**강자성체** : 자석에 강하게 영향을 받고, 자기장을 제거해도 오랫동안 자성을 유지하는 물질 예 철, 니켈, 코발트 등

▸**상자성체** : 자석에 약하게 영향을 받으나 자기장이 제거되면 자성이 즉시 사라지는 물질 예 종이, 알루미늄, 마그네슘, 텅스텐 등

1) 초전도체

① 초전도체 : 특정 온도(임계온도) 이하에서 전기 저항이 0이 되는 물질이다.

㉠ 전기 저항이 0이므로 전류가 흘러도 열이 발생하지 않는다.

이용 : 전력 손실 없는 송전선

㉡ 열 발생 없이 센 전류를 흐르게 할 수 있으므로, 강한 자기장이 필요한 장치를 만들 수 있다.

이용 : 자기공명 영상장치(MRI), 핵융합 장치, 입자 가속기

㉢ 마이스너 효과 : 초전도체가 외부 자기장을 밀어내므로 초전도체 위에 자석을 놓으면 뜬다.

이용 : 자기 부상 열차

② 초전도체의 과제 : 임계 온도가 더욱 높은 초전도체 개발이 필요하다.

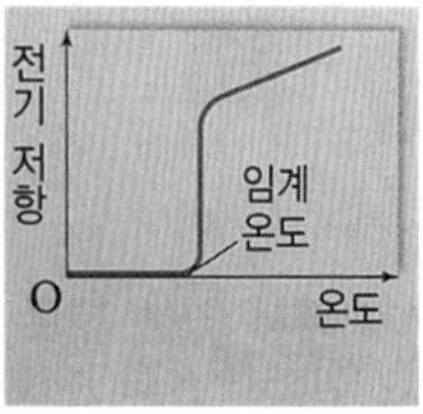

2) **네오디뮴 자석** : 철 원자 사이에 네오디뮴과 붕소를 첨가하여 철 원자의 자기장 방향이 흐트러지지 않도록 만든 매우 강한 자석으로, 고출력 소형 스피커, 강력 모터, 컴퓨터 하드 디스크 등 강한 자기장이 필요한 장치에 사용된다.

02. 나노 신소재

구분	모양	구조	특징	이용
그래핀		연필심의 재료인 흑연의 한 층을 떼어내어 펼친 육각형 평면구조	열, 전기 전도성이 우수하고, 강철보다 강도가 강하다. 얇고 투명하여 빛을 잘 투과시키고, 휘어져도 전기적 성질이 변하지 않는다.	휘어지는 디스플레이 소재, 전자 종이, 입는 컴퓨터
탄소 나노 튜브	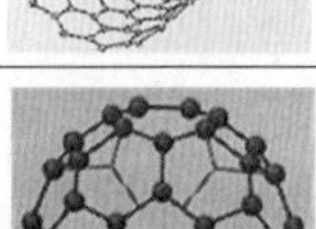	그래핀이 원통(튜브) 모양으로 말려 있는 구조	열, 전기 전도성이 뛰어나고, 가벼우며 강철보다 강도가 강하다.	첨단 현미경의 탐침, 나노 핀셋
풀러렌	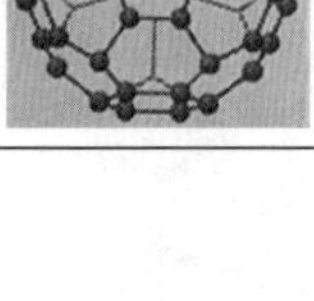	탄소 원자가 오각형, 육각형으로 결합하여 축구공 모양을 이룬 구조	내부가 비어있어 원자나 분자를 가둘 수 있다. 쉽게 부서지거나 변형되지 않는다.	금속 원자 저장, 의약품의 체내 운반체

03. 자연을 모방한 신소재

생명체	특징	이용
도꼬마리 열매	갈고리 형태의 가시가 있어 털에 붙으면 잘 떨어지지 않는다.	벨크로 테이프
연잎 표면	나노미터 크기의 돌기가 있어 물을 밀어내 물에 젖지 않는다.	방수되는 옷, 유리 코팅제, 세차가 필요 없는 자동차
홍합 족사	홍합이 분비하는 족사라는 단백질은 물 속에서도 강한 접착력을 유지한다.	수중 접착제, 의료용 생체 접착제
게코 도마뱀 발바닥	발바닥에 미세 섬모가 있어 나무나 벽에 쉽게 붙었다 떨어졌다 한다.	게코 테이프, 의료용 패치, 전투용이나 구조용 로봇 장갑, 신발
상어 비늘	코의 정면에 거친 돌기와 코 아래에 부드러운 돌기로 인해 물의 저항을 줄인다.	전신 수영복
거미줄	매우 가늘지만 강철보다 강도가 강하고 신축성이 뛰어나다.	방탄복, 낙하산, 인공 힘줄
모르포 나비 날개	날개에 특정한 색소가 없지만, 날개에 얇은 막이 여러 층으로 되어 있어, 빛 방향에 따라 색이 달라진다.	모르포텍스 섬유

05 역학적 시스템

01. 중력에 의한 시스템

(1) 힘의 정의와 종류

1) 힘 : 물체의 모양이나 운동 상태를 변화시키는 원인이 된다.

2) 힘의 종류

① 탄성력 ② 마찰력 ③ 자기력 ④ 전기력 ⑤ 부력 ⑥ 중력

(2) 뉴턴의 운동 법칙

1) 관성의 법칙 (뉴턴의 운동 제1법칙)

① 물체에 힘이 작용하지 않으면 : 정지해 있는 물체는 계속 정지해 있고, 운동하는 물체는 등속 직선 운동을 한다.

㉠ 정지해 있던 버스가 갑자기 출발하면 승객은 뒤로 넘어진다. (정지)

㉡ 달리던 버스가 갑자기 정지하면 승객은 앞으로 넘어진다. (운동)

② 관성의 크기 : 물체의 질량이 클수록 관성이 크다.

2) 가속도의 법칙 (뉴턴의 운동 제2법칙)

① 가속도 : 단위 시간 동안의 속도 변화량

$$가속도(a) = \frac{속도\ 변화량}{시간} = \frac{V - V_0}{t}(m/s^2)$$

② 가속도의 법칙 : 물체에 일정한 크기의 힘이 작용할 경우

→ 가속도의 크기(a)는 작용한 힘의 크기(F)에 비례하고, 물체의 질량(m)에 반비례한다.

$$F = ma$$

3) 작용-반작용의 법칙 (뉴턴의 운동 제3법칙)

물체 A가 다른 물체 B에 힘(작용)을 가하면, 물체 B도 물체 A에게 크기가 같고 방향이 반대인 힘(반작용)을 같은 작용선 상에 가한다.

① 몸을 벽에 부딪치면 나도 아프다.
② 로켓이 가스 분출의 반대 방향으로 날아간다.
③ 노를 뒤로 저으면 배는 앞으로 나아간다.

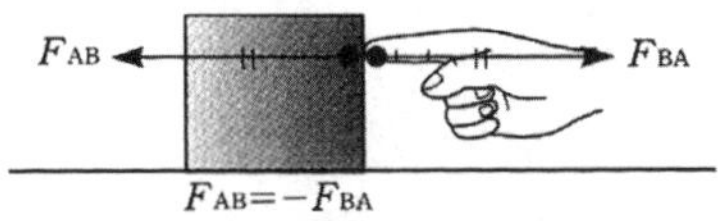

4) **뉴턴의 만유인력의 법칙** : 질량을 갖는 모든 물체 사이에 서로 끌어당기는 힘을 말한다.

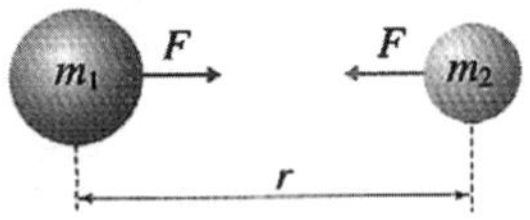

$$F = G\frac{m_1 \cdot m_2}{r^2}$$

02. 중력을 받는 물체의 운동

(1) 중력 : 지구가 지구상의 물체를 끌어당기는 힘이다.

1) **방향** : 연직 방향인 지구 중심 쪽이다.

2) **중력의 크기** : 물체의 질량에 비례하고, 지구에서 멀수록 작다.
지표면 근처에서 중력의 크기 = 무게

$$F = mg \ (g : \text{중력가속도})$$

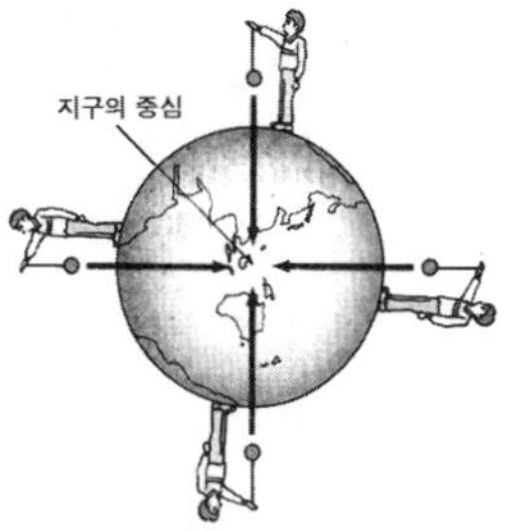

3) 같은 물체라도 장소에 따라 중력의 크기는 다르다.
달에서의 중력(무게)의 크기는 지구에서의 1/6이다.

(2) 자유낙하 운동

1) 물체에 중력이 작용하기 때문이며 공기저항을 무시할 경우, 1초에 9.8m/s씩 속력이 증가하는 운동을 하며 낙하한다.

2) **중력 가속도(g)** : 물체 질량에 관계없이 9.8m/s²으로 일정하다.

3) **공기 중에서와 진공에서 쇠구슬과 깃털의 낙하** : 공기저항력 때문에 공기 중에서는 쇠구슬이 먼저 떨어지나, 진공에서는 동시에 땅에 떨어진다.

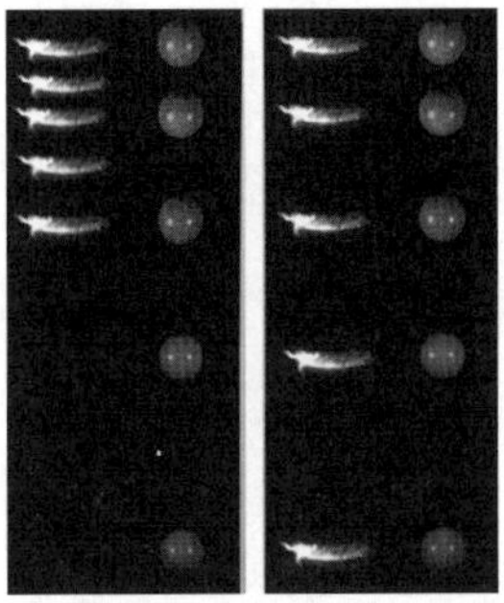
▲ 공기 중 낙하 ▲ 진공 중 낙하

(3) 수평으로 던진 물체의 운동

- 공기 저항을 무시할 경우 전체적으로 포물선 운동을 한다.

1) **수평 방향** : 힘이 작용하지 않으므로 속력이 일정한 등속 직선 운동을 한다.
2) **연직 방향** : 중력이 작용하므로 자유 낙하(등가속도) 운동을 한다.

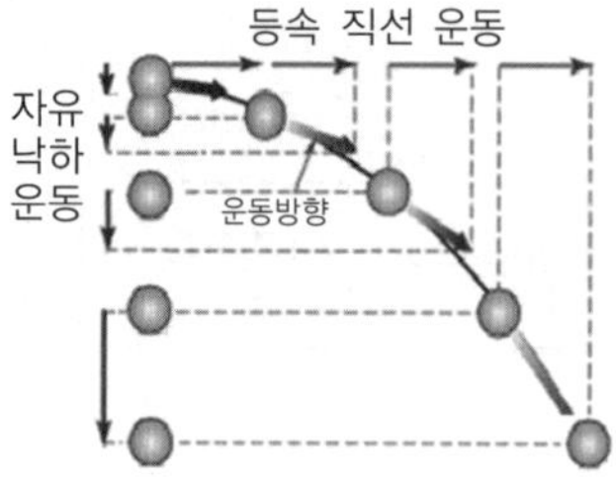

▲ 수평으로 던진 물체의 운동

구분	수평 방향	연직 방향
힘	0	중력
운동	등속 직선 운동	등가속도 운동
속도	일정	일정하게 증가
가속도	0	중력 가속도

3) **속력을 다르게 던질 경우** : 속력이 클수록 수평 방향의 이동거리는 증가하나, 연직으로는 자유 낙하 운동을 하므로 지면에 도달하는 시간은 동일하다.

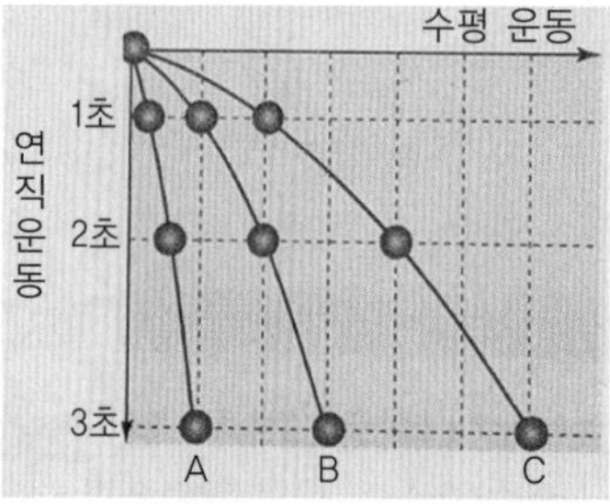

▲ 속력을 다르게하여 던질 경우

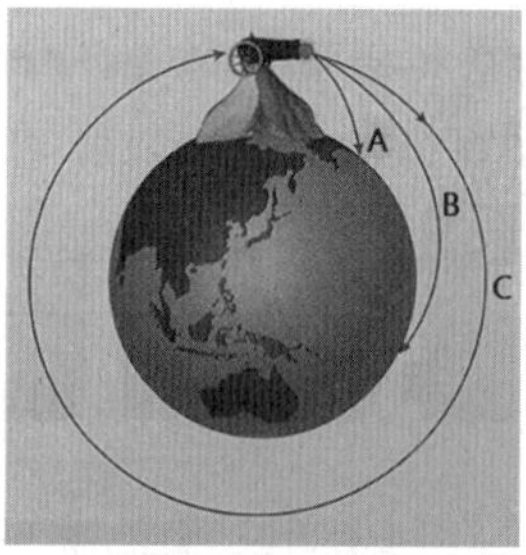

▲ 뉴턴의 사고 실험

4) **뉴턴의 사고 실험** : 특정한 속도로 빠르게 던질 경우, 물체가 지구로 떨어지는 거리와 지구가 둥글기 때문에 구부러지는 거리가 같아 물체가 땅으로 떨어지지 않고 지구 둘레를 도는 원운동을 하게 될 것이다.(인공위성)

03. 중력이 지구와 생명 시스템에 주는 영향

(1) 중력이 지구 시스템에 주는 영향

1) 위로 던진 공은 중력이 작용하므로 다시 땅으로 떨어진다.
2) 중력에 의한 대류 현상 때문에 구름, 기상 현상, 해풍과 육풍, 고기압, 저기압, 물과 대기의 순환이 일어난다.

3) 태양과 달의 중력으로 인해 지구에 밀물과 썰물 현상을 일으킨다.
4) 중력에 의해 운석이 지구로 떨어지는 것이고, 달에는 중력이 작아 대기가 없다.

(2) 중력이 생명 시스템에 주는 영향

1) 식물의 뿌리가 중력에 의해 땅속으로 자란다.
2) 전정기관의 이석에 의해 균형을 유지한다.
3) 심장에서 거리가 먼 정맥에는 판막이 있어 중력으로 인한 혈액의 역류를 방지한다.
4) 몸무게가 큰 코끼리는 단단한 근육과 골격으로 중력을 지탱한다.
5) 기린은 목이 길어 다른 동물에 비해 혈압이 높다.
6) 조류는 뼈 속이 비어 있어 중력을 덜 받아 가볍기 때문에 하늘을 날 수 있다.

04. 역학적 시스템과 안전

(1) 운동량과 충격량

1) **운동량(p)** : 운동하는 물체의 운동의 정도를 나타내며, 질량과 속도의 곱으로 표시한다.

$$p = mv$$

m : 질량　v : 속도
(단위 : $kg \cdot m/s$)

2) **충격량(I)** : 물체가 받는 충격의 정도를 나타내며, 물체에 작용한 힘과 힘이 작용한 시간의 곱으로 표시한다.

$$I = F\Delta t$$

F : 물체에 작용한 힘
Δt : 힘이 작용한 시간
(단위 : $N \cdot s$)

→ 그래프 밑의 면적이 물체가 받은 충격량이다.

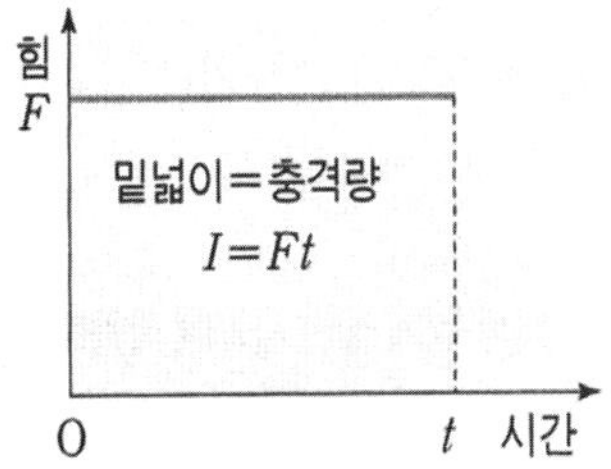

▲ 힘이 일정할 때

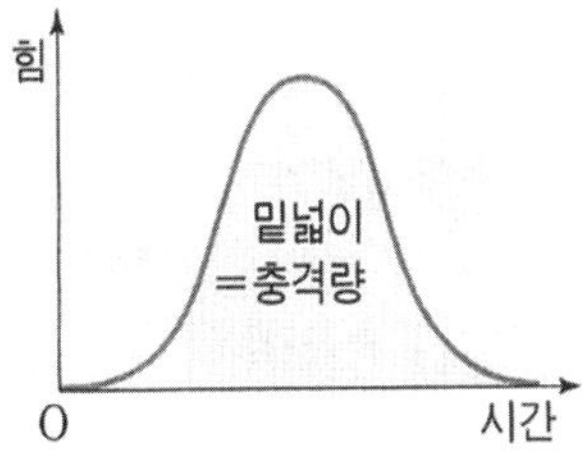

▲ 힘이 변할 때

(2) 운동량과 충격량의 관계

$$F \Delta t = mv - mv_0 = \Delta P \qquad \therefore F = \frac{mv - mv_0}{\Delta t}$$

물체가 받은 충격량 = 물체의 운동량의 변화량

1) 충격력이 일정할 때, 충돌 시간과 충격량의 관계

→ 힘을 받는 시간을 물체에 길게 할수록, 충격량(운동량의 변화량)이 커져 나중 속도가 빨라진다.

① 골프나 야구에서 골프채나 방망이에 팔로스루를 길게 한다.

② 대포의 포신이 길수록 포탄이 멀리까지 날아간다.

2) 충격량(운동량의 변화량)이 일정할 때, 충돌 시간과 힘의 크기의 관계

→ 물체에 작용하는 시간이 길수록, 힘은 작아진다.

예 ㉠ 콘크리트 바닥과 방석에 각각 떨어진 유리컵

㉡ 콘크리트 벽과 짚더미에 충돌한 자동차

㉢ 투수가 던진 공을 손을 뒤로 빼면서 받는 이유

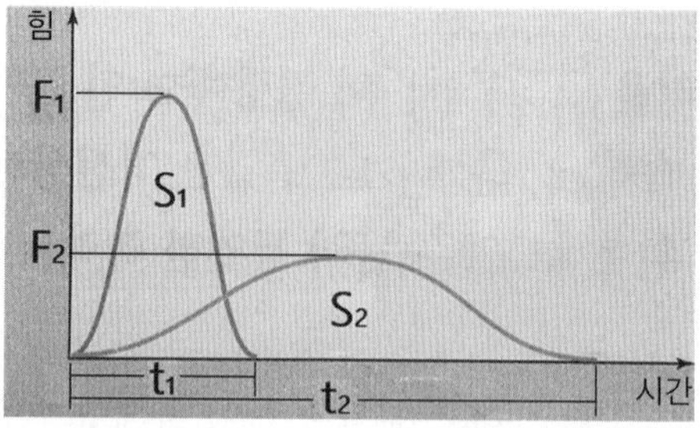

3) 충돌 시간을 길게 해주는(충돌 힘이 작게 작용) 안전장치

① 교통 수단 : 자동차의 에어백, 안전띠, 자동차의 범퍼, 범퍼카, 배에 매단 타이어

② 운동 경기 : 권투 선수의 보호대, 야구 선수의 글러브, 야구장의 외야 펜스

③ 기타 : 신발의 에어쿠션, 놀이 매트, 공기가 충전된 포장재, 유도의 낙법

1. 다음 그림은 규산염 사면체를 나타낸 것이다.

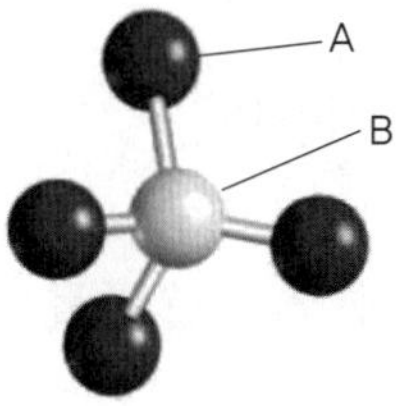

이에 대한 설명으로 옳은 것을 〈보기〉에서 모두 고른 것은?

〈보기〉

ㄱ. A는 산소, B는 규소이다.
ㄴ. 규소 1개에 산소 4개가 결합한 구조이다.
ㄷ. 규산염 사면체는 전체 양전하를 띤다.

① ㄱ, ㄴ　　② ㄴ, ㄷ
③ ㄱ, ㄷ　　④ ㄱ, ㄴ, ㄷ

2. 다음은 서로 다른 규산염 광물을 나타낸 것이다.

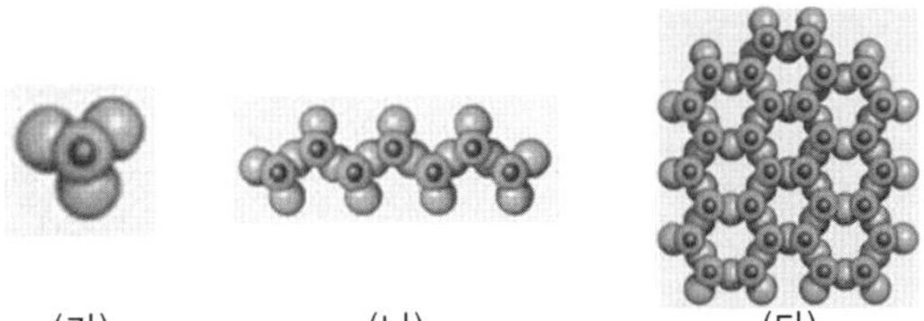

(가)　(나)　(다)

이에 대한 설명으로 옳은 것을 〈보기〉에서 모두 고른 것은?

〈보기〉

ㄱ. (가)는 독립형 구조의 감람석이다.
ㄴ. (나)는 단사슬 구조의 휘석이다.
ㄷ. (가)에서 (다)로 갈수록 공유하는 산소수가 감소한다.

① ㄱ, ㄴ　　② ㄴ, ㄷ
③ ㄱ, ㄷ　　④ ㄱ, ㄴ, ㄷ

3. 다음 중 탄소 화합물에 대한 설명으로 옳은 것을 모두 고르면?

〈보기〉

ㄱ. 단백질, 핵산, 지질은 탄소 화합물이다.
ㄴ. 탄소 화합물은 탄소로만 이루어져 있다.
ㄷ. 사슬, 가지, 고리 모양 등 다양한 형태를 만들 수 있다.

① ㄱ, ㄴ
② ㄴ, ㄷ
③ ㄱ, ㄷ
④ ㄱ, ㄴ, ㄷ

4. 생명체를 구성하는 물질에 대한 설명으로 옳지 <u>않은</u> 것은?

① 물이 가장 큰 비율을 차지한다.
② 물과 무기 염류를 제외하면, 대부분 탄소 화합물이다.
③ 단백질은 효소, 항체, 호르몬의 주성분이기도 하다.
④ 핵산은 유전물질이며, 탄수화물의 단위체는 아미노산이다.

5. 다음 중 단백질에 대한 설명으로 옳지 <u>않은</u> 것은?

① 에너지원으로 4kcal/g의 열을 낸다.
② 효소 항체, 호르몬의 주성분이며, 단위체는 포도당이다.
③ 인체를 구성하는 탄소 화합물 중 비율이 가장 높다.
④ 아미노산들이 펩타이드 결합으로 연결되어 있다.

6. 다음에서 설명하는 물질은?

가늘고 긴 분자가 규칙적 배열을 하고 있어, 고체와 액체의 성질을 모두 갖는 물질로, 전압을 가하면 분자의 배열이 변하는 특성이 있다.

① 다이오드
② 액정
③ 초전도체
④ 트랜지스터

7. 초전도체에 대한 설명이다. 옳지 않은 것은?

① 특정 온도 이하에서 전기 저항이 0이 된다.
② 송전선을 초전도체로 만들면 에너지 손실이 없다.
③ 센 전류가 흐를 경우에 열이 발생할 수 있다.
④ 자기공명 영상장치(MRI), 자기 부상 열차에 이용할 수 있다.

8. 오른쪽 그림은 연필심의 재료인 흑연의 한 층을 떼어 내어 펼친 육각형 평면구조의 신소재이다. 이에 대한 설명으로 옳은 것을 〈보기〉에서 모두 고르면?

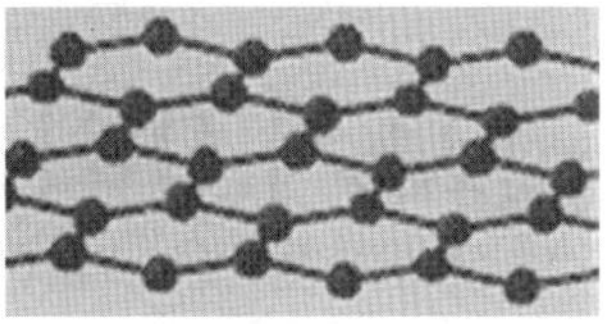

〈보기〉

ㄱ. 그래핀이며, 열과 전기를 잘 전달한다.
ㄴ. 강철보다 강도가 강하므로 잘 휘어지지 않는다.
ㄷ. 얇고 투명하여 빛을 잘 투과시키므로 투명한 디스플레이를 만드는 데 활용할 수 있다.

① ㄱ, ㄴ
② ㄴ, ㄷ
③ ㄱ, ㄷ
④ ㄱ, ㄴ, ㄷ

9. 다음 그림 (가)와 (나)는 탄소로 이루어진 두 가지 신소재를 나타낸 것이다.

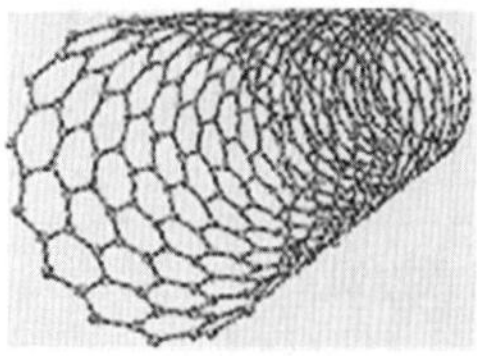
(가)

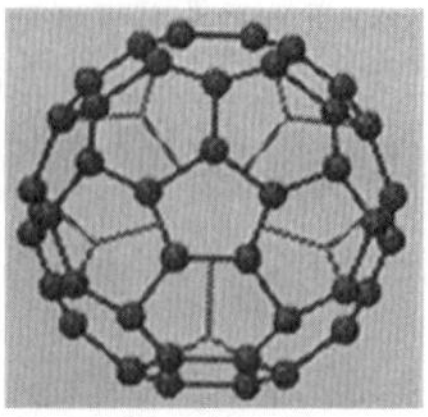
(나)

이에 대한 설명으로 옳은 것을 〈보기〉에서 모두 고른 것은?

〈보기〉

ㄱ. (가)는 탄소 나노 튜브이고, (나)는 풀러렌이다.
ㄴ. (가), (나) 모두 강철보다 강도가 강하다.
ㄷ. (가)는 의약품 운빈, (나)는 휘는 디스플레이 제작에 사용될 수 있다.

① ㄱ, ㄴ
② ㄴ, ㄷ
③ ㄱ, ㄷ
④ ㄱ, ㄴ, ㄷ

10. 오른쪽 사진은 바위에 붙어 있는 홍합과 연잎의 물방울 모습이다. 이런 홍합과 연잎의 특성을 이용하여 만들 수 있는 신소재를 순서대로 옳게 나열한 것은?

(가)

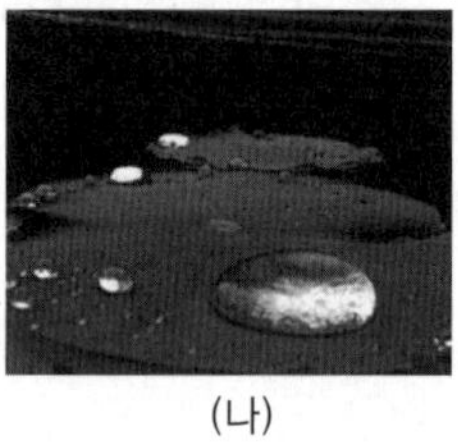
(나)

	(가)	(나)
①	벨크로 테이프	유리 코팅제
②	모르모텍스 섬유	수중 접착제
③	유리 코팅제	전신 수영복
④	수중 접착제	유리 코팅제

11. 관성의 법칙에 대한 설명으로 옳은 것을 〈보기〉에서 모두 고른 것은?

〈보기〉

ㄱ. 질량이 클수록 관성이 크다.
ㄴ. 원래의 운동 상태를 계속 유지하려는 성질이다.
ㄷ. 로켓이 가스를 분출하며 날아간다는 것은 관성의 예이다.

① ㄱ
② ㄴ
③ ㄱ, ㄴ
④ ㄱ, ㄴ, ㄷ

12. 다음 그림은 수평면 위에 정지해 있는 물체 A, B에 같은 크기의 힘(F)을 일정하게 작용할 때, 두 물체의 가속도를 나타낸 것이다. A와 B의 질량비는? (단, 마찰과 저항은 무시한다.)

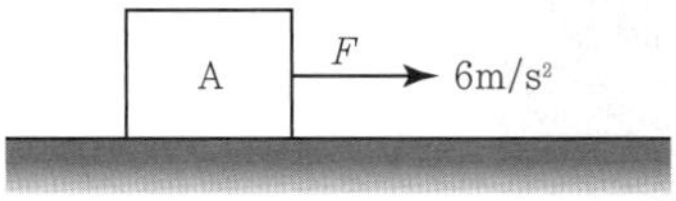

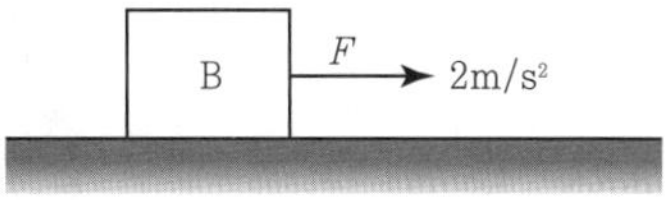

① 1 : 2
② 2 : 1
③ 1 : 3
④ 3 : 1

13. 책상 위에 물체가 놓여 있다. 물체에 작용하는 중력에 대한 반작용 힘은?

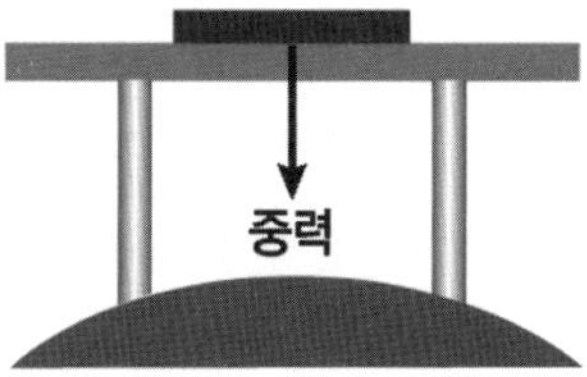

① 물체가 책상을 미는 힘
② 책상이 바닥을 미는 힘
③ 책상이 물체를 받치는 힘
④ 물체가 지구를 잡아당기는 힘

14. 다음은 지구상에 있는 물체에 작용하는 중력에 대한 설명이다. 이에 대한 설명으로 옳은 것을 〈보기〉에서 모두 고르면?

〈보기〉

ㄱ. 지구가 지구상의 물체를 끌어당기는 힘이다.
ㄴ. 중력 방향은 연직 방향인 지구 중심 쪽이다.
ㄷ. 지표면 근처에서 중력의 크기가 그 물체의 무게이다.

① ㄱ, ㄴ　② ㄴ, ㄷ
③ ㄱ, ㄷ　④ ㄱ, ㄴ, ㄷ

15. 다음 그림은 공기 중에서와 진공 상태에서 깃털과 쇠구슬을 낙하시켰을 때 같은 시간 간격으로 위치를 나타낸 것이다. (단, 질량은 쇠구슬이 크다.)

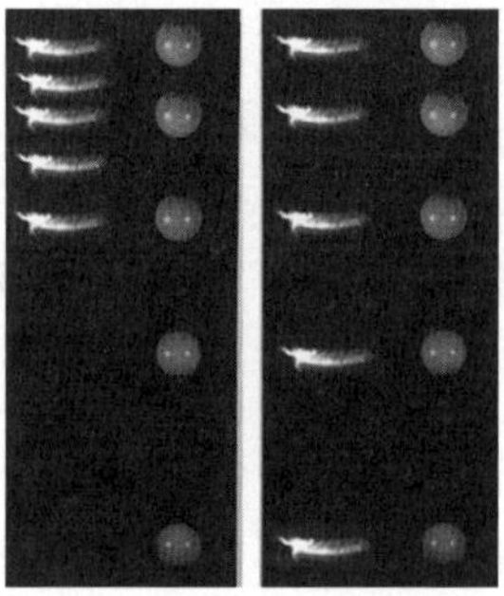

▲ 공기 중 낙하　▲ 진공 중 낙하

이에 대한 설명으로 옳은 것을 〈보기〉에서 모두 고르면?

〈보기〉

ㄱ. 깃털과 쇠구슬에 작용하는 중력의 크기는 같다.
ㄴ. 공기 중에서는 쇠구슬이 먼저 떨어진다.
ㄷ. 진공에서 깃털과 쇠구슬은 동시에 떨어진다.
ㄹ. 진공에서 깃털과 쇠구슬의 시간당 속도 변화는 같다.

① ㄱ, ㄴ　② ㄴ, ㄷ
③ ㄱ, ㄷ, ㄹ　④ ㄴ, ㄷ, ㄹ

16. 오른쪽 그림은 자유 낙하시킨 쇠구슬과 수평으로 던진 쇠구슬의 운동을 일정한 시간 간격으로 나타낸 것이다.
이에 대한 설명으로 옳은 것을 〈보기〉에서 모두 고르면? (단, 질량은 같으며, 공기 저항은 무시한다.)

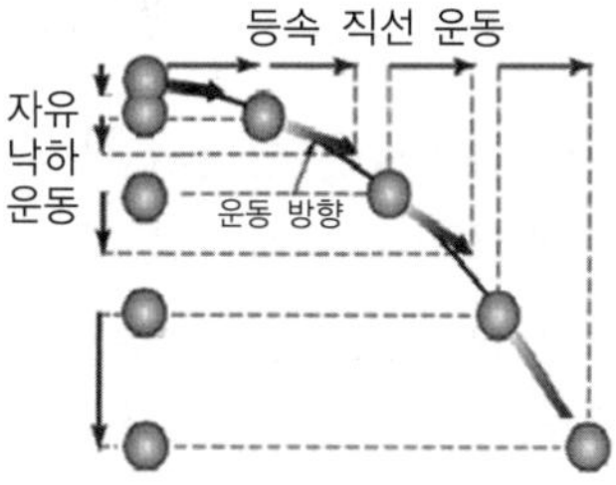

▲ 수평으로 던진 물체의 운동

〈보기〉

ㄱ. 두 쇠구슬에 작용하는 중력의 크기는 같다.
ㄴ. 수평 방향의 쇠구슬은 등속 직선 운동을 한다.
ㄷ. 두 쇠구슬 모두 연직 방향으로는 등가속도 운동을 한다.

① ㄱ, ㄴ
② ㄴ, ㄷ
③ ㄱ, ㄷ
④ ㄱ, ㄴ, ㄷ

17. 오른쪽 그림은 쇠구슬을 수평 방향으로 속력을 다르게 하여 던진 운동을 일정한 시간 간격으로 나타낸 것이다.
이에 대한 설명으로 옳은 것을 〈보기〉에서 모두 고르면?
(단, 질량은 같으며, 공기 저항은 무시한다.)

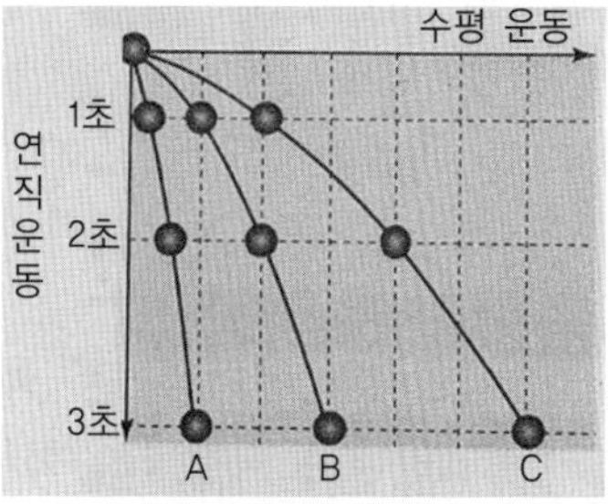

▲ 속력을 다르게하여 던질 경우

〈보기〉

ㄱ. 세 물체에 작용하는 중력의 크기와 방향은 같다.
ㄴ. 속력이 가장 큰 C의 수평 방향의 이동거리가 가장 멀다.
ㄷ. 세 물체 중 A의 쇠구슬이 가장 먼저 땅에 떨어진다.

① ㄱ
② ㄱ, ㄴ
③ ㄴ, ㄷ
④ ㄱ, ㄴ, ㄷ

18. 다음은 운동량과 충격량에 대한 설명이다. 옳지 않은 것은?

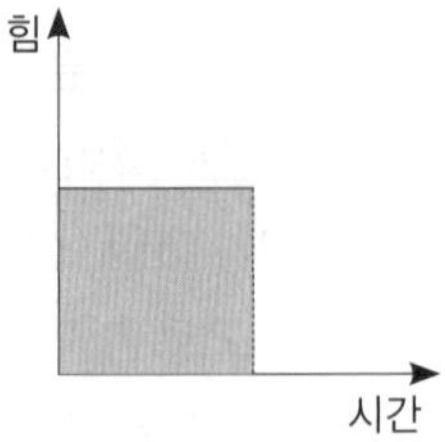

① 운동량은 물체의 질량과 속도를 곱한 값이다.
② 충격량은 힘과 힘이 작용한 시간을 곱한 값이다.
③ 운동량은 충격량의 변화와 같다.
④ 힘-시간 그래프에서 밑넓이는 충격량과 같다.

19. 다음 중 충격력이 일정할 때, 힘을 받는 시간을 길게 한 경우에 해당하는 것을 〈보기〉에서 모두 고른 것은?

〈보기〉

ㄱ. 골프나 야구에서 골프채나 방망이에 팔로스루를 길게 한다.
ㄴ. 대포의 포신이 길수록 포탄이 멀리까지 날아간다.
ㄷ. 콘크리트 바닥보다 방석에 떨어진 유리컵이 깨지지 않았다.
ㄹ. 투수가 던진 공을 손을 뒤로 빼면서 받아야 손이 덜 아프다.

① ㄱ, ㄴ
② ㄷ, ㄹ
③ ㄱ, ㄴ, ㄹ
④ ㄱ, ㄷ, ㄹ

20. 자동차의 에어백은 충돌 시간을 길게 하는 효과를 낳아 충격을 완화시킴으로써 사람에게 부상의 위험이나 그 정도를 감소시킨다.
이와 같은 에어백의 효과와 같은 성질이 아닌 것은?

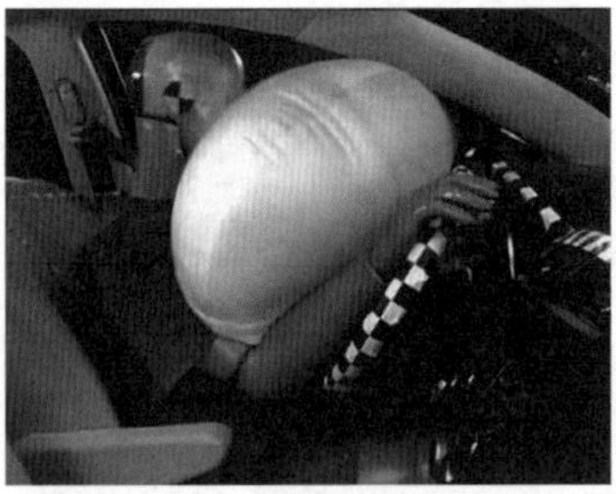

① 이불 위에 떨어진 접시는 깨지지 않는다.
② 야구공은 손을 뒤로 빼면서 받으면 덜 아프다.
③ 대포에서 포탄을 발사하면 포신이 뒤로 밀린다.
④ 물 풍선을 받을 때 팔을 굽혀서 받으면 터지지 않는다.

03

06. 지구 시스템
07. 생명 시스템

06 지구 시스템

01. 지구 시스템의 구성 요소

- 지권, 기권, 수권, 생물권, 외권으로 구성되어 있다.

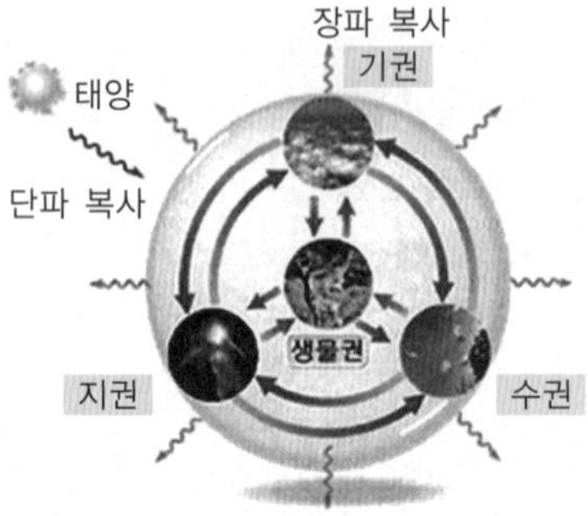

▲ 지구 시스템 간의 상호작용

(1) 지구 시스템의 구성

1) 지권

① 지권의 분류

㉠ 지각 : 화강암질 암석인 대륙 지각(약 35km)과 현무암질 암석인 해양 지각(약 5km)으로 구분한다.

㉡ 맨틀 : 지구 부피의 83%, 밀도가 큰 감람암질 암석, 하층부는 반유동성의 액체로 맨틀의 대류가 일어나 지진, 화산 활동 등을 일으킨다.

㉢ 핵 : 철과 니켈이 주성분으로 밀도가 가장 크며, 고체인 내핵과, 액체인 외핵으로 구성, 외핵의 대류로 인해 지구 자기장이 형성된다.

② 지권의 역할 : 생물체에게 필요한 물질을 공급하고 서식 공간을 제공한다.

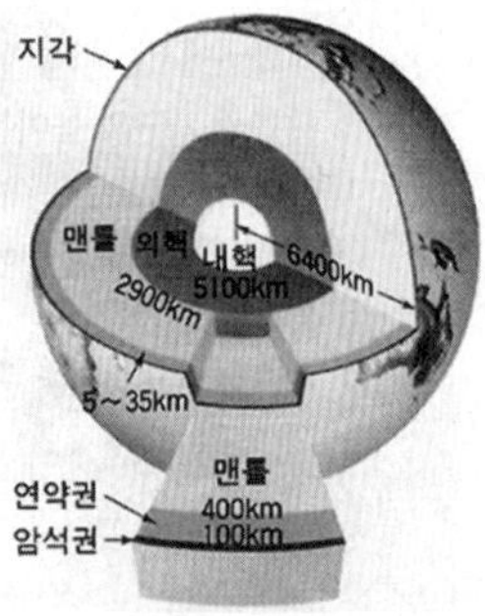

▲ 지권의 내부 구조

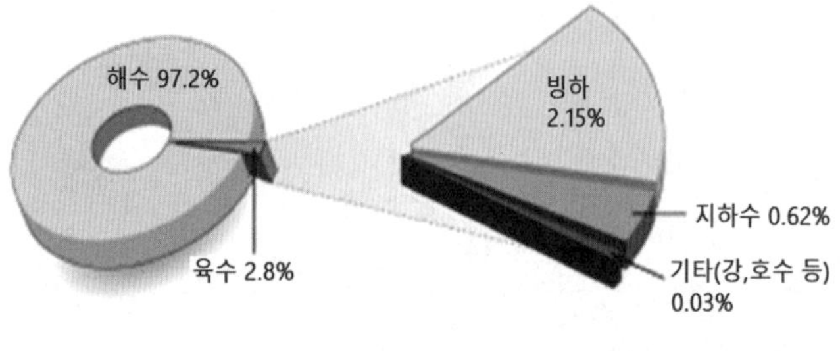

▲ 수권의 분포

2) 수권

① 해수와 육수의 분포 : 지구상 전체 수권의 97.2% 해수, 나머지 약 2.8% 육수

해수 〉 빙하 〉 지하수 〉 강, 호수 〉 수증기

② 해수의 깊이에 따른 수온 분포

㉠ 혼합층 : 태양 복사 에너지를 흡수하여 수온이 높고, 바람의 혼합 작용으로 수온이 일정하며, 바람이 강할수록 두껍게 발달한다.

㉡ 수온 약층 : 수심이 깊어질수록 수온이 급격히 낮아지는 층으로 대류가 일어나지 않아 안정하며, 혼합층과 심해층 사이의 물질과 에너지 교환을 차단한다.

㉢ 심해층 : 빛이 도달하지 않아 수온이 낮고, 위도나 계절에 따른 수온 변화가 거의 없는 층이다.

③ 수권의 역할 : 태양 에너지를 저장하고, 열에너지 수송에 관여하며, 기상 현상을 일으키고, 지구의 온도를 일정하게 유지하는 역할을 한다.

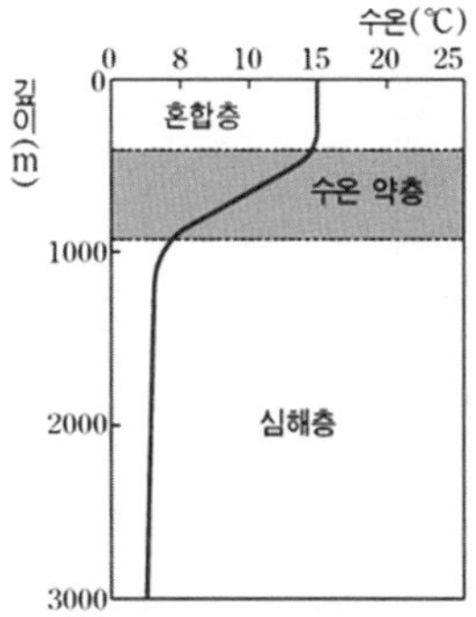

▲ 해수의 연직 구조

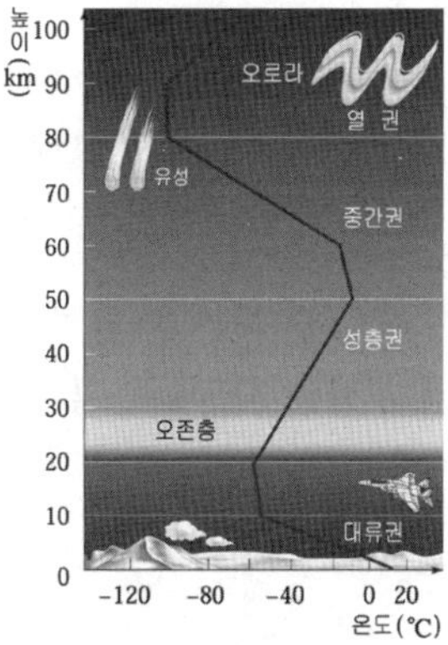

▲ 기권의 구조

3) 기권

① 기권의 구분 : 지표에서 약 1000km, 높이에 따른 기온 변화로 구분한다.

㉠ 대류권 : 지표면~높이 약 10km

· 대기권에 분포하는 전체 공기의 약 75%가 존재한다.

· 높이 올라갈수록 기온 하강, 공기의 대류로 기상 현상이 일어난다.

㉡ 성층권 : 높이 약 10~50km

· 높이 올라갈수록 기온 상승, 높이 25km 부근 오존층이 자외선을 흡수한다.

· 대류 현상이 없는 안정한 층이며, 하부는 비행기의 항로로 이용된다.

㉢ 중간권 : 높이 약 50~80km

· 높이 올라갈수록 기온 하강, 유성이 관측되기도 한다.

· 대류 현상은 있지만, 수증기가 없어 기상 현상은 일어나지 않는다.

㉣ 열권 : 높이 약 80km 이상

· 공기 매우 희박, 태양 복사 에너지를 흡수, 높이 올라갈수록 기온이 상승한다.

· 대기가 거의 없어 밤낮의 기온차가 크고, 오로라가 나타난다.

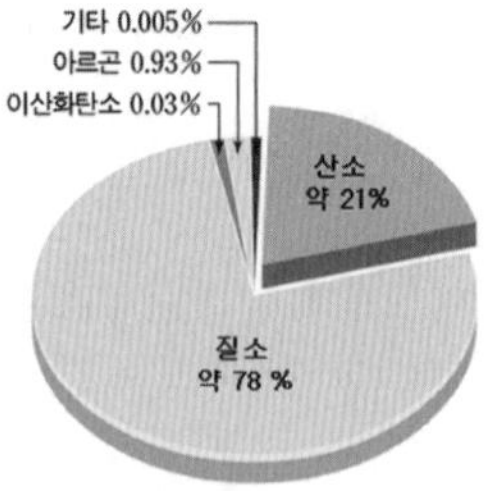

▲ 기권의 대기 조성

② 대기권의 역할 : 온실 효과로 지구 보온, 오존층의 자외선 차단, 생물체에 CO_2와 산소를 공급한다.

4) 생물권

① 생명의 탄생 : 해양에서 유해 자외선 차단으로 생태계가 형성되었고, 현재는 지권, 수권, 기권에 넓게 분포한다.

② 생물의 진화 : 대기 중의 산소 축적으로 오존층이 형성, 태양의 유해 자외선을 차단함으로써 육상 생물이 번성하게 되었다.

5) 외권 : 지상 1000km 이상 기권 밖을 모두 포함, 그 중 지구 자기장은 태양의 고에너지 입자를 차단하여 지구 생물체를 보호해 준다.

(2) 지구 시스템 구성 요소의 상호 작용

근원 \ 영향	기권	수권	지권	생물권
기권	일기변화, 기단의 상호작용, 대기 대순환	해류 발생, 강수 현상	대기에 의한 풍화, 침식	이산화탄소(산소) 제공, 종자, 포자의 운반
수권	수증기 증발, 이산화탄소 흡수와 방출, 태풍 발생	해수의 순환 (혼합)	광물의 용해, 물과 빙하의 침식 작용, 석회동굴 형성	물 공급, 수중 생물의 서식처 제공
지권	화산 활동시 기체 방출	쓰나미(해일) 발생	판의 운동, 대륙 이동	대륙 이동에 의한 서식처 변화
생물권	광합성, 호흡으로 대기 조성 변화	생물체가 용해 물질 제거	생물에 의한 풍화, 침식, 화석연료 생성	먹이 사슬 유지

02. 지구 시스템의 물질과 에너지의 순환

(1) 지구 시스템의 에너지원

1) 태양 복사 에너지

① 지구 시스템의 에너지원 중 가장 많은 양을 차지, 지구 환경 변화에 가장 영향이 크다.

② 기권과 수권에서 기상 현상과 해류를 발생, 지권에서는 풍화와 침식 작용을 일으켜 지형을 변화시킨다.

③ 수권에서는 해수를 순환, 생물권에서는 광합성으로 생명 활동의 에너지원이 된다.

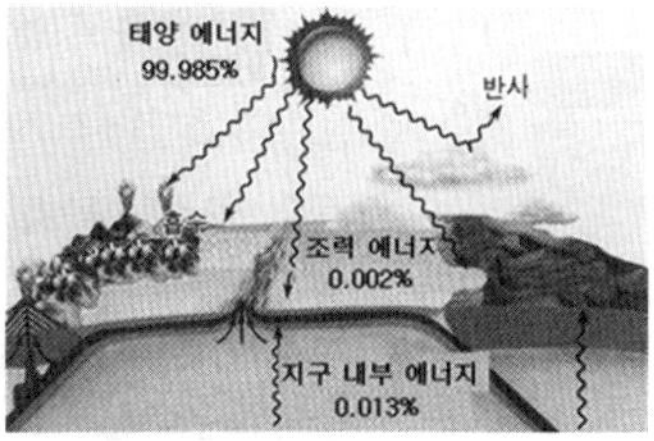

▲ 지구계의 에너지원

2) 지구 내부 에너지

① 지구 중심에서의 열과 암석에 포함된 방사성 원소의 붕괴열이 에너지이다.

② 맨틀 대류를 일으켜 대륙 이동, 지진, 화산 활동 등 지각 변동을 일으킨다.

3) 조력 에너지

① 달과 태양의 인력에 의한 에너지, 거리가 가까운 달의 영향이 더 크다.

② 밀물과 썰물을 일으켜 해안 지역의 생태계와 지형 변화에 영향을 준다.

(2) 지구 시스템의 물질 순환

1) 물의 순환

① 물의 순환을 일으키는 근본 에너지 : 태양 에너지

② 해양과 육지의 물 : 태양 에너지에 의해 증발, 식물의 증산 작용에 의해 대기로 이동한다.

③ 대기 중의 수증기 : 응결되어 구름, 비나 눈이 되어 지표에 내린다.

④ 지표에 강수로 내린 물 : 하천수, 지하수가 되고, 결국 해양으로 이동, 이 과정에서 지표의 지형을 변화시킨다.

⑤ 물의 평형 : 대기, 해양, 육지에서 각각 방출되는 물의 양과 유입되는 물의 양은 같다. 지구 시스템 전체의 물의 양은 항상 일정하다.

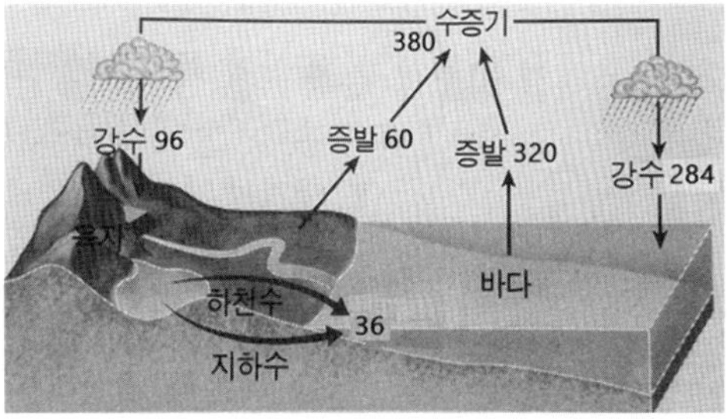

▲ 물의 순환(단위×1000km³/년)

2) 탄소의 순환

① 탄소의 존재 형태

㉠ 기권 : 이산화탄소(CO_2), 메테인(CH_4)의 형태

㉡ 수권 : 탄산 이온(CO_3^{2-}), 탄산수소 이온(HCO_3^-)의 형태

㉢ 지권 : 암석에 탄산칼슘(석회암($CaCO_3$) : 가장 많은 양), 연료에 탄화수소의 형태

㉣ 생물권 : 유기 화합물의 형태

② 탄소의 순환 과정

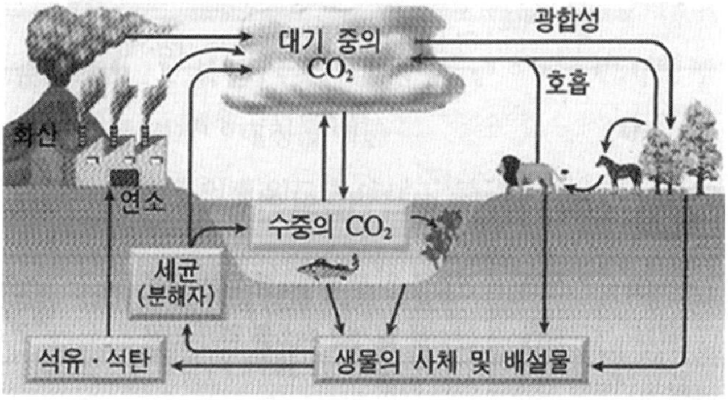

▲ 탄소의 순환

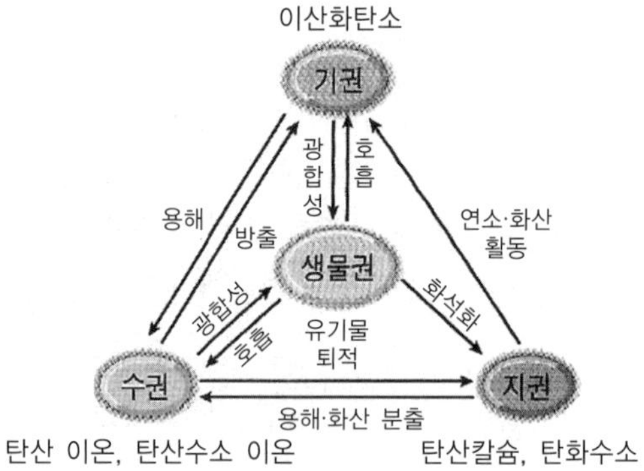

3) 질소의 순환

대기 중의 질소는 번개나 토양 속의 세균에 의해 질산 이온(NO_3^-)이나 암모늄 이온(NH_4^+)이 되어 식물에 흡수되어 단백질을 만들고, 동물에게 이동한 후 다시 분해자의 활동에 의해 기권으로 이동하여 순환한다.

03. 지권의 변화

(1) 지진과 화산 활동

1) 지각 변동을 일으키는 에너지원 : 지구 내부 에너지

① 지진 : 지구 내부에 축적되었던 에너지의 급격한 방출로 지표면이 흔들리는 현상

② 화산활동 : 마그마가 지각의 약한 부분을 뚫고 지표로 올라오는 현상

→ 용암(마그마에서 기체 빠진 액체), 화산가스, 화산재 등이 분출한다.

2) 세계 3대 지진대와 화산대(변동대)

① 지진대와 화산대는 판의 경계를 따라 대체로 일치한다.

② 주로 대륙의 주변부, 그 중 환태평양 지역에서 가장 활발하다.

- 환태평양 지진대, 알프스-히말라야 지진대, 해령 지진대

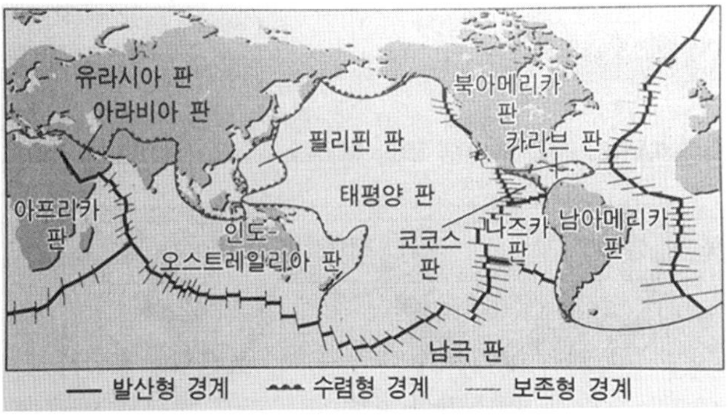

▲ 판의 경계와 분포

(2) 지권의 변화와 판 구조론

1) 판 구조론 : 대륙 이동설, 맨틀 대류설, 해저 확장설의 종합적 결론이다.

→ 지구 표면은 여러 개의 판으로 구성, 맨틀 대류에 의해 판들이 이동, 판의 경계에서 지진이나 화산 활동 등 지각 변동이 일어난다는 이론

2) 판의 구조

① 암석권(판) : 지하 100km까지, 지각과 상부 맨틀 일부를 포함한 단단한 부분

대륙판	대륙지각 + 상부 맨틀 일부	두껍다	밀도 작은	화강암질 암석
해양판	해양지각 + 상부 맨틀 일부	얇다	밀도 큰	현무암질 암석

② 연약권 : 지하 100km~400km까지, 상하부 온도차에 의해 맨틀의 대류가 일어난다. → 맨틀 대류 : 판을 이동시키는 원동력이다.

3) 판의 주요 4경계

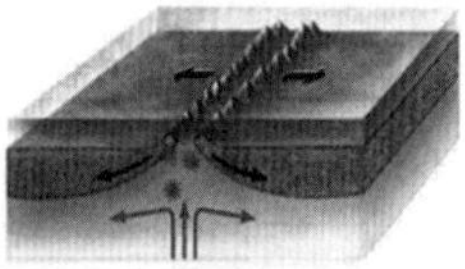
해령(발산형)

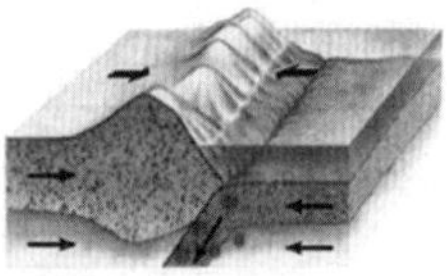
해구(수렴형)

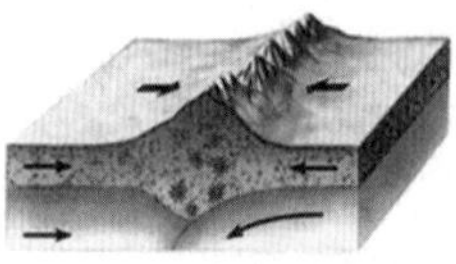
습곡산맥(수렴형)

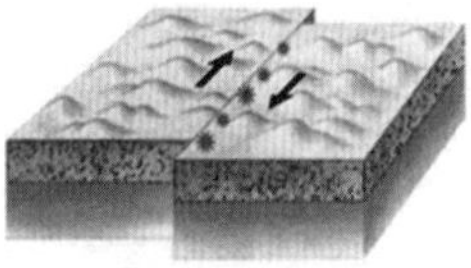
변환단층(보존형)

4) 판의 경계와 지각 변동

경계 종류		상대적인 특징		형성 지형
발산형 경계	맨틀대류 상승부	판과 판이 멀어지는 경계 (판 생성)	천발지진, 화산활동	동태평양 해령 대서양 중앙 해령
수렴형 경계	맨틀대류 하강부	판과 판이 만나는 경계		
		① 해양판-대륙판 (판 소멸)	천발, 심발지진 화산활동	일본 해구, 칠레 해구 호상열도(일본) 습곡산맥(안데스)
		② 해양판-해양판 (판 소멸)	천발, 심발지진 화산활동	마리아나 해구 호상열도
		③ 대륙판-대륙판 (판 충돌)	천발, 심발지진 화산활동(×)	히말라야, 알프스 대 습곡산맥
보존형 경계	-	판과 판이 어긋나는 경계 (판 생성(×), 소멸(×))	천발지진 화산활동(×)	산안드레아스 단층

(3) 지권의 변화가 지구 시스템에 미치는 영향

1) 화산 활동이 지구 시스템에 미치는 영향

① 용암은 농경지나 건물을 파괴하고, 산불과 인명 피해를 발생시킨다.

② 화산 기체로 인해 산성비가 내리고, 토양을 산성화시킨다.

③ 용암쇄설물은 지표를 따라 흐르면서 산사태를 발생시킨다.

④ 화산재는 햇빛을 가려 지구의 기온을 떨어뜨리고, 식물의 생장을 저하시키며, 항공기의 운항에 차질을 준다.

⑤ 이용 : 화산재는 토양을 비옥하게 하고, 유효한 광물 취득, 지열 발전의 이용, 독특한 지형 및 온천은 관광자원이 된다.

2) 지진이 지구 시스템에 미치는 영향

① 도로, 건물, 교량을 파괴시키고, 산사태를 일으켜 인명, 재산 피해를 준다.

② 가스관 파괴로 가스 누출, 전선의 합선이나 누전으로 화재를 발생시킨다.

③ 해저 지진으로 인한 해일(쓰나미)이 발생해 인명, 재산 피해를 준다.

07 생명 시스템

01. 생명 시스템의 기본 단위

(1) 생명 시스템과 세포

1) **세포** : 생명 시스템을 구성하는 구조적, 기능적 단위이다.

2) **생명 시스템의 구성 단계** : 세포 → 조직 → 기관 → 개체

구성 단계	특 징
세포	생명 시스템의 구조적, 기능적 단위
조직	모양과 기능이 비슷한 세포들의 모임
기관	여러 조직이 모여 고유한 형태와 기능을 유지
개체	여러 기관이 모여 독립적인 생명 활동을 하는 생명체

3) **동물과 식물의 구성 단계**

① 동물 : 세포 → 조직 → 기관 → 기관계 → 개체

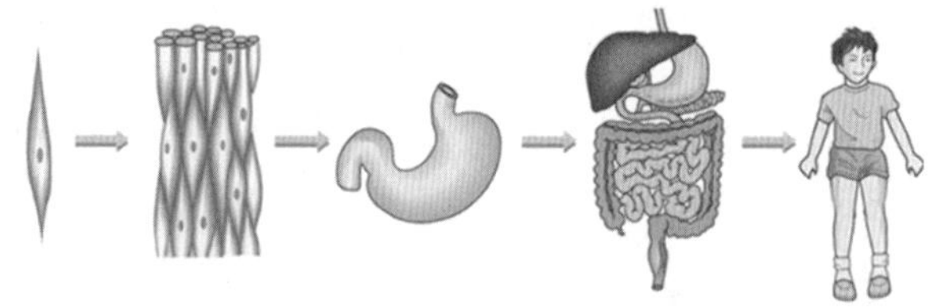

② 식물 : 세포 → 조직 → 조직계 → 기관 → 개체

(2) 세포의 구조와 기능

1) **세포의 구조**

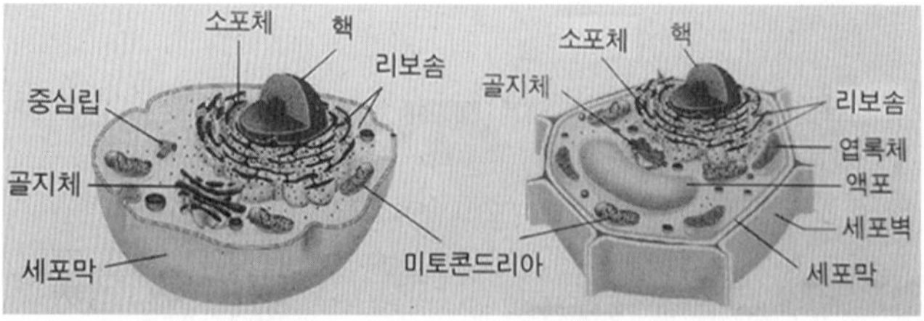

▲ 동물세포 ▲ 식물세포

2) 세포의 기능

소기관	기 능
핵	DNA가 유전 정보를 저장하며, 세포의 생명 활동을 조절한다.
리보솜	DNA의 유전 정보에 따라 단백질을 합성한다.
소포체	리보솜에서 합성한 단백질을 골지체나 다른 곳으로 운반하는 물질의 이동 통로이다.
골지체	소포체에서 전달받은 단백질을 막으로 싸서 세포 밖으로 분비한다.
세포막	세포를 둘러싸는 막으로, 세포 안팎으로 물질의 출입을 조절한다.
엽록체	광합성을 통해 빛에너지를 흡수하여 포도당을 합성한다.
미토콘드리아	세포 호흡이 일어나는 장소로 포도당을 분해하여 에너지를 생성한다.
세포벽	식물 세포에서 세포막 바깥을 둘러싸며, 세포의 모양 유지 및 세포를 보호한다.
액포	물, 색소, 노폐물 등을 저장하며, 성숙한 식물 세포에서 크게 발달한다.

(3) 세포막의 기능

1) 세포막의 구조

① 세포막의 주성분 : 인지질, 단백질

② 세포막의 구조 : 인지질 2중층에 단백질이 파묻혀 있거나 관통하고 있는 구조이다.

③ 인지질은 친수성인 머리 부분이 물이 많은 세포의 안쪽과 바깥쪽을 향하고, 소수성인 꼬리 부분이 서로 마주보며 2중층을 이룬다.

④ 세포막은 유동성이 있어 인지질의 움직임에 따라 단백질의 위치가 바뀐다.

2) 세포막을 통한 물질의 출입 : 물질의 종류에 따라 선택적 투과성을 나타낸다.

① 확산 : 세포막을 경계로 농도가 높은 쪽에서 낮은 쪽으로 분자가 이동하는 현상

㉠ 인지질 2중층을 통한 확산 : 분자 크기가 작은 기체인 산소, 이산화탄소, 지용성 물질

예 폐포와 모세 혈관 사이의 O_2와 CO_2의 교환

㉡ 막단백질을 통한 확산 : 전하를 띠는 이온, 분자 크기가 큰 포도당, 아미노산, 수용성 물질

예 혈액 속의 포도당이 조직 세포로 확산

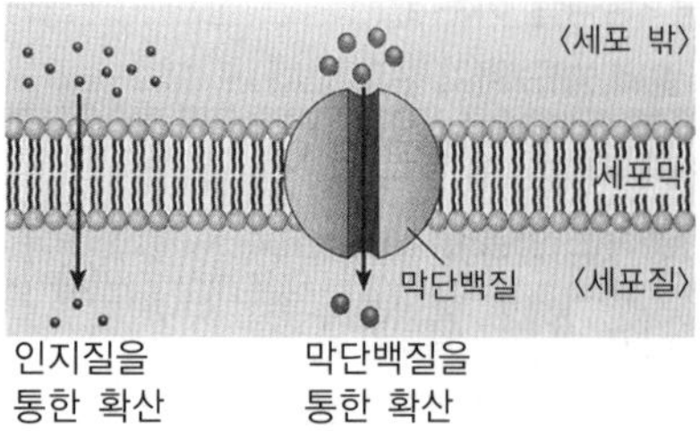

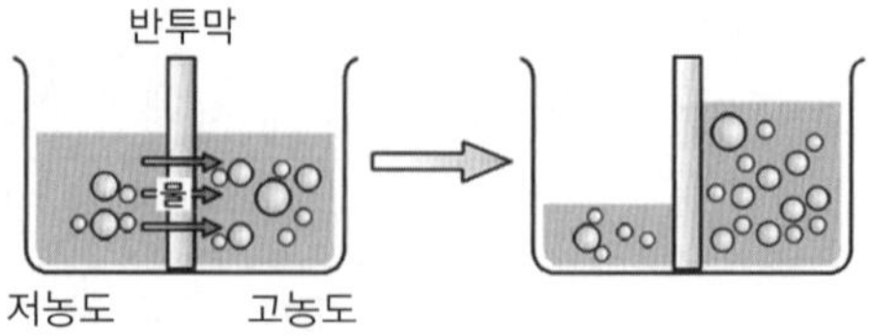

▲ 삼투현상

② 삼투 : 세포막을 경계로 농도가 낮은 쪽에서 높은 쪽으로 물이 이동하는 현상

㉠ 콩팥의 세뇨관에서 모세혈관으로 물의 재흡수

㉡ 식물의 토양에서 뿌리털을 통한 물의 흡수

㉢ 삼투에 의한 적혈구의 모양 변화

고장액	등장액	저장액
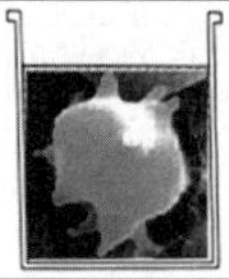	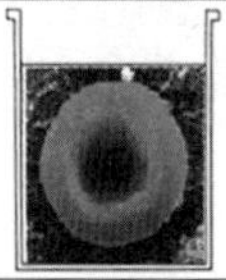	
적혈구가 수축됨	변화 없음	적혈구가 팽창

02. 물질대사와 생체 촉매(효소)

(1) 물질대사와 반응

1) 물질대사

① 생명 활동을 위해 생물체 내에서 일어나는 모든 화학 반응을 말한다.

② 동화 작용과 이화 작용이 있으며, 에너지가 출입한다.

③ 물질 대사에는 반응을 빠르게 도와주는 생체 촉매(효소)가 관여한다.

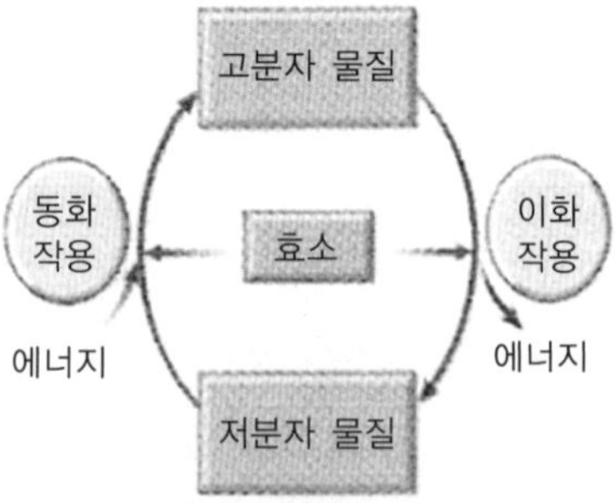

▲ 동화 작용과 이화 작용

동화 작용	이화 작용
물질의 합성 반응	물질의 분해 반응
저분자 → 고분자	고분자 → 저분자
흡열 반응	발열 반응
효소 관여	효소 관여
광합성, 단백질 합성	세포 호흡, 소화

$$CO_2 + H_2O \underset{\text{(세포 호흡) 열E}}{\overset{\text{(광합성) 빛E}}{\rightleftharpoons}} C_6H_{12}O_6 + O_2$$

2) 광합성

① 식물의 엽록체에서 무기물로부터 유기물인 포도당을 합성하는 반응이다.

② 빛에너지를 화학에너지로 저장하는 흡열 반응이다.

③ 대기 중의 CO_2 를 흡수하고(온난화 방지), O_2 를 방출한다.

※ 광합성의 영향 요인 : 빛의 세기, 빛의 파장(적색, 청색광), 온도, CO_2 농도

3) 세포 호흡

① 세포내 미토콘드리아에서 포도당이 세포 호흡을 통해 산화되어 에너지를 생성한다.

② 생성된 에너지는 체온유지에 사용되고, 일부는 ATP에 저장되어 생명활동에 이용된다.

③ 대기 중의 O_2를 흡수하고, CO_2를 방출한다.

4) 물질대사 중 하나인 세포 호흡과 연소의 비교

구분	세포 호흡	연소
반응 온도	체온 범위(37℃)	고온(400℃ 이상)
반응 단계	반응이 여러 단계에 걸쳐 진행	반응이 한 번에 진행
에너지 출입	에너지 방출(열에너지)	에너지 방출(열, 빛에너지)
촉매 여부	효소가 관여함	관여하지 않음

(2) 생체 촉매(효소)의 작용

1) 생체 촉매(효소) : 생체 내에서 물질대사를 촉진하며, 효소라고도 한다.

2) **효소의 기능**

① 효소의 주성분 : 단백질

② 활성화 에너지를 감소시켜, 체온 범위에서도 반응속도를 증가시켜 준다.

※ 활성화 에너지 : 화학 반응이 일어나기 위해 필요한 최소한의 에너지

③ 반응열은 반응물과 생성물의 에너지 차이이므로 효소의 사용 여부에 관계없이 일정하다.

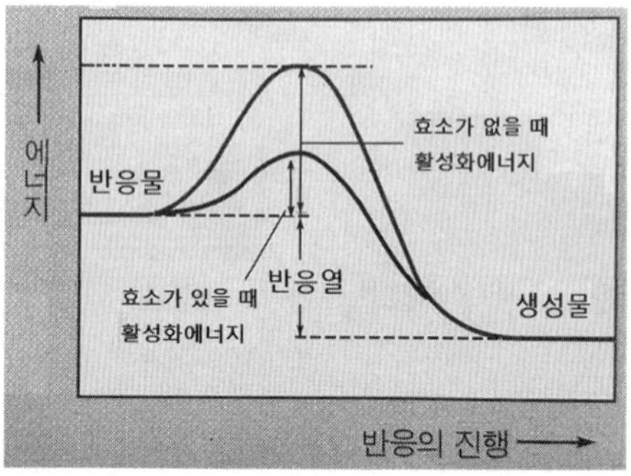

3) **효소의 특성과 작용 원리**

① 기질 특이성 : 한 종류의 효소는 입체 구조가 맞는 반응물(기질)에만 작용한다.

예 아밀레이스는 녹말은 분해하지만 단백질, 지방은 분해하지 못한다.

② 효소는 반응 후에도 변하지 않으므로 반복하여 재사용할 수 있다.

③ 효소는 단백질로 고온에서 변성되며, pH에도 영향을 받는다.

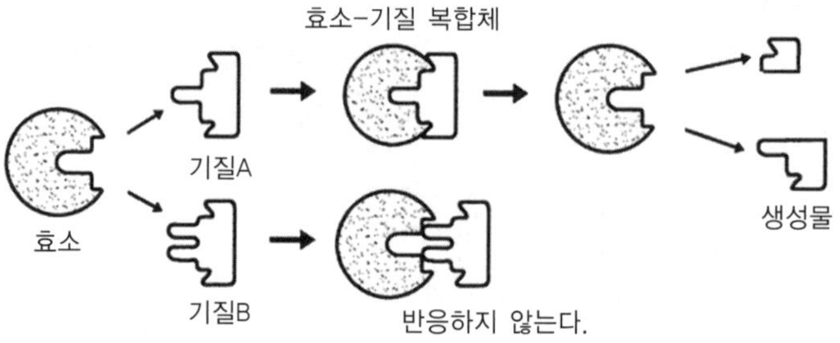

4) **효소의 온도에 따른 작용 실험**

과산화수소는 물과 산소로 분해되는데, 감자 즙이나 생간을 넣으면, 카탈레이스가 반응을 빠르게 하는 촉매 작용을 한다. 그러나 삶은 간은 그 기능을 수행하지 못한다.

5) **우리 몸에서 효소의 작용 예**

① 음식물 속의 영양소는 소화 효소에 의해 분해되어야 몸속으로 흡수된다.

② 상처로 피가 날 때 혈액 응고 효소의 작용으로 출혈이 멈춘다.

③ 근육, 뼈 등 몸의 구성 성분을 합성하는 데도 효소가 관여한다.

6) 효소의 이용

구분	이용 예
일상생활	식혜 : 엿기름에 들어있는 아밀레이스 효소 이용 발효식품 : 빵, 김치, 된장, 치즈 등 연육제 : 배나 키위 속의 단백질 분해 효소 이용 생활용품 : 효소를 이용한 세제, 치약, 화장품
의약분야	의약품 : 소화 효소를 이용한 소화제 혈전 용해 효소를 이용한 혈전 용해제 의료기기 : 포도당 산화 효소를 이용한 요 검사지 포도당 산화 효소를 이용한 혈당 측정기
환경분야	효소를 이용해 옥수수, 사탕수수를 분해하여 바이오 연료 생산 효소를 이용한 생활 하수, 공장 폐수 정화
산업분야	포도주 제조, 인공 감미료 생산, 유전자 재조합의 제한효소나 연결효소

03. 생명 시스템 내에서 정보의 흐름

(1) 염색체와 DNA

1) 염색체

① 염색사 : 핵 속에 있으며, DNA와 단백질로 이루어진 실모양의 구조물이다.

② 염색체 : 세포 분열할 때 수많은 염색사가 응축하여 염색체를 형성한다.

③ 염색체의 특징 : 염색체의 수, 모양 및 크기는 생물의 종에 따라 다르며, 같은 종이라면 서로 같다.

④ 염색체의 종류

㉠ 상동염색체 : 체세포에 있는 모양과 크기가 같은 2개의 염색체

㉡ 상염색체 : 암수가 공통으로 갖는 성 결정과 관계없는 염색체

㉢ 성염색체 : 암수에 따라 성을 결정하는 XX, XY 염색체

㉣ 사람의 체세포의 염색체 수 : 46개, 생식 세포의 염색체 수 : 23개

2) DNA와 유전자

① DNA는 생물의 형질을 결정하는 유전 정보를 가진 유전자의 본체이다.

② 유전자는 유전 정보가 저장된 DNA의 특정 부분을 말한다.

③ 각 유전자는 특정 단백질의 합성에 관한 유전 정보를 저장하고 있다.

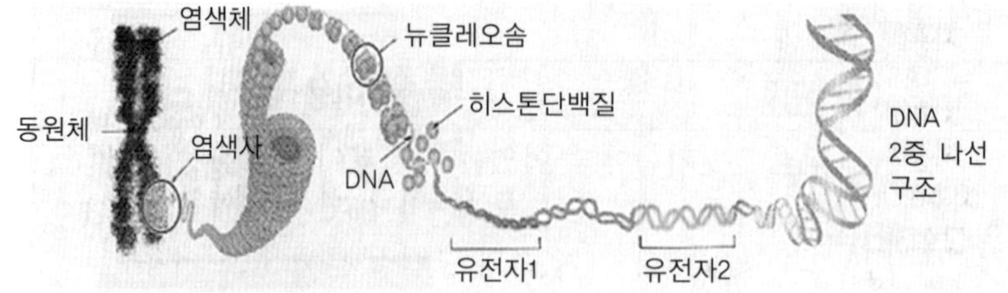

3) **유전자와 단백질** : 유전자에 저장된 유전 정보에 따라 다양한 단백질이 합성되고, 이 단백질에 의해 다양한 형질이 나타나게 된다.

(2) DNA의 구성

1) **DNA의 구성** : 뉴클레오타이드(인산, 당, 염기 = 1 : 1 : 1)로 구성
2) **DNA의 염기 4종류** : 아데닌(A), 구아닌(G), 사이토신(C), 타이민(T)
3) **상보적 결합** : 염기 A는 T와 (A=T), 염기 G는 C와 (G≡C) 결합한다.
4) **DNA의 구조** : 두 가닥의 폴리뉴클레오타이드가 꼬여 → 2중 나선구조 형성

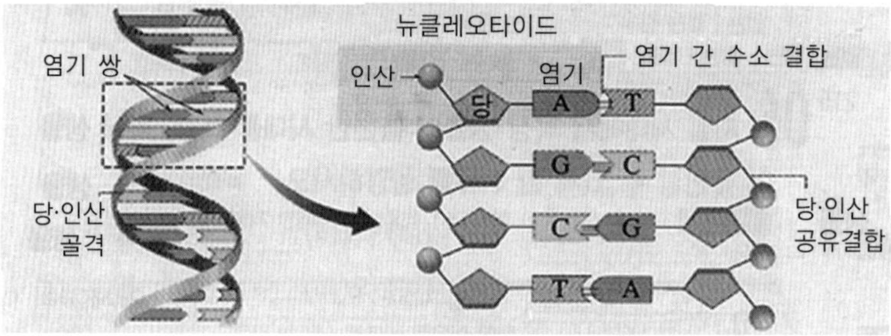

▲ DNA의 구조

(3) 유전 정보의 흐름

1) **유전 정보의 저장** : DNA의 유전 암호에는 특정 단백질을 합성하기 위한 아미노산들의 배열을 결정하는 유전 정보가 들어있다.
2) **DNA의 유전 암호**
   ① DNA의 염기는 4종류(A, G, C, T)인데, 아미노산은 20종류, 따라서 DNA의 유전 암호는 최소한 20가지가 되어야 한다.
   ② DNA의 염기 3개가 한조가 되어, 하나의 아미노산을 지정하는 유전 암호가 된다.
   ③ 유전 암호는 4^3 = 64 개, 그러므로 20가지 아미노산을 모두 지정할 수 있다.
   ④ 트리플렛코드 : DNA 염기 3개가 한 조가 된 DNA의 유전 암호를 말한다.

3) **생명 중심 원리** : DNA의 유전 정보가 RNA를 거쳐 단백질로 전달된다는 원리

① 유전 정보의 발현과정

$$DNA \xrightarrow{\text{전사}} RNA \xrightarrow{\text{번역}} \text{단백질 합성}$$

② 전사 : DNA의 유전 정보가 핵 속의 RNA로 전달되는 과정이다.

→ DNA의 한쪽 가닥을 주형으로 하여 RNA가 만들어진다.

(RNA 염기에는 T(타이민)가 없으므로 U(유라실)로 전사된다.)

③ 번역 : RNA의 정보에 따라 세포질의 리보솜에서 최종 단백질이 합성되는 과정이다. → RNA의 코돈이 지정하는 아미노산이 펩타이드 결합으로 연결, 단백질이 합성된다.

④ 코돈(codon) : 아미노산을 지정하는 RNA 염기 3개의 조합, 코돈 또한 64개가 있다.

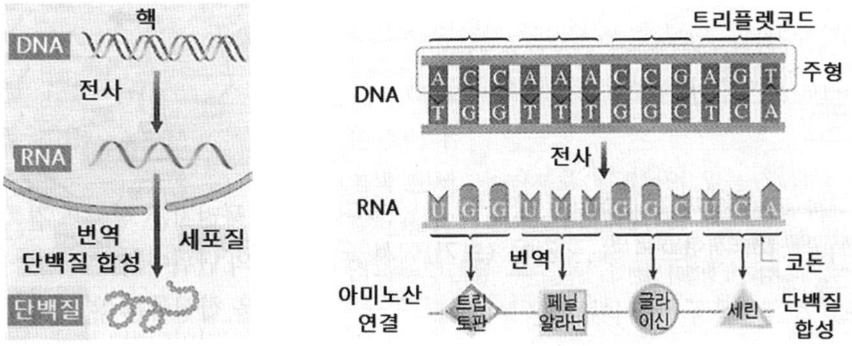

▲ DNA 유전 정보 전달과 단백질 합성

4) **유전 암호의 공통성과 진화**

- 지구상의 모든 생명체는 동일한 유전부호 체계를 갖는다. 이는 모든 생명체가 공통 조상으로부터 진화했음을 의미한다.

  예 사람의 유전자를 대장균에 넣으면 전사와 번역을 거쳐 사람의 단백질이 합성된다.

5) **돌연변이**

- 유전자의 본체인 DNA의 염기 서열에 이상이 생겨 나타나며, 그 결과 단백질을 구성하는 아미노산의 배열이 바뀌어 비정상적인 단백질을 합성되게 한다.

  예 겸형(낫 모양) 적혈구, 페닐케톤뇨증, 알비노증 등이 있다.

단원확인문제

1. 오른쪽 그림은 지권의 구조를 나타낸 것이다.
이에 대한 설명으로 옳은 것을 〈보기〉에서 모두 고른 것은?

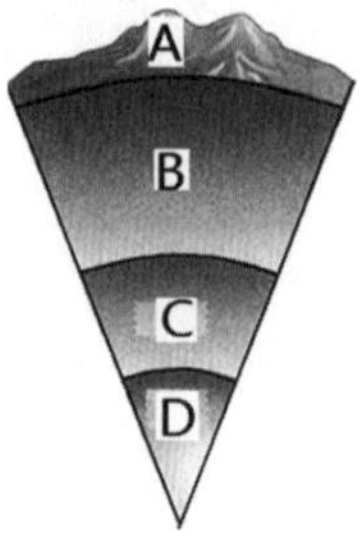

〈보기〉

ㄱ. A는 대륙 지각보다 해양 지각이 더 두껍다.
ㄴ. B는 가장 큰 부피를 차지하는 맨틀이며, 대류가 일어난다.
ㄷ. C는 액체이며, 지구 자기장 형성과 관계가 있다.

① ㄱ, ㄴ ② ㄴ, ㄷ
③ ㄱ, ㄷ ④ ㄱ, ㄴ, ㄷ

2. 다음 그림은 지구계 수권의 구성비를 나타낸 것이다.
이에 대한 설명으로 옳은 것을 〈보기〉에서 모두 고른 것은?

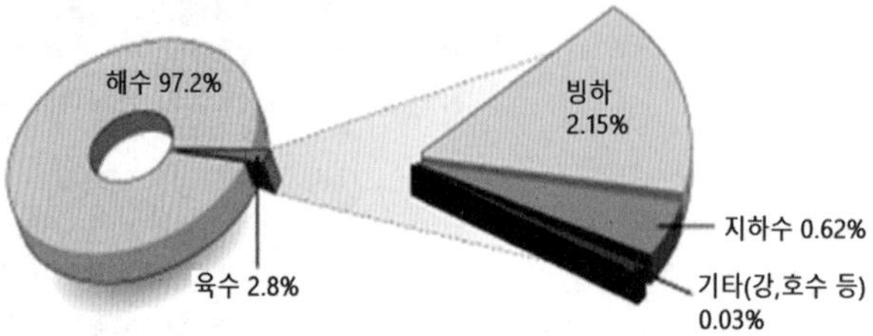

〈보기〉

ㄱ. 해수는 수권의 대부분을 차지한다.
ㄴ. 육수에서 가장 많은 양은 빙하가 차지한다.
ㄷ. 지표의 환경 변화는 지하수가 강, 호수보다 더 큰 영향을 미친다.

① ㄱ ② ㄷ
③ ㄱ, ㄴ ④ ㄴ, ㄷ

3. 오른쪽 그림은 수권 중 해수의 층상 구조를 나타낸 것이다. 이에 대한 설명으로 옳은 것을 〈보기〉에서 모두 고른 것은?

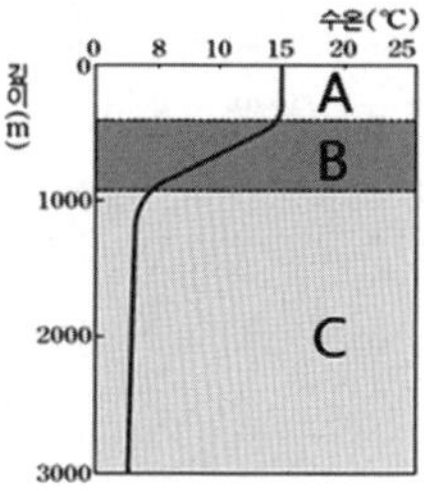

〈보기〉

ㄱ. A층은 바람이 강할수록 두껍게 발달한다.
ㄴ. B층은 대류가 일어나지 않는 안정한 층이다.
ㄷ. C층은 연중 수온 변화가 가장 작은 수온약층이다.

① ㄱ, ㄴ
② ㄴ, ㄷ
③ ㄱ, ㄷ
④ ㄱ, ㄴ, ㄷ

4. 오른쪽 그림은 기권의 층상 구조를 나타낸 것이다. 이에 대한 설명으로 옳은 것을 고르면?

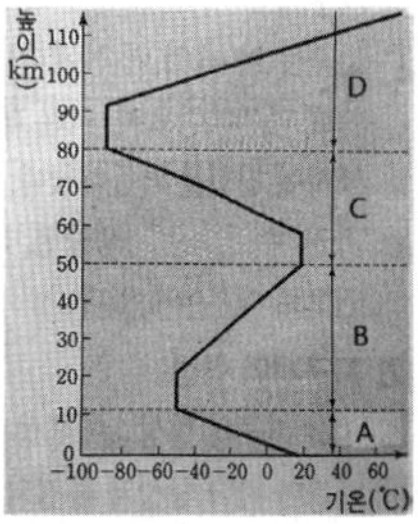

① A는 성층권이며, 오존층이 존재한다.
② B는 대류권으로, 기상 현상이 일어난다.
③ C는 중간권으로, 기층이 안정한 층이다.
④ D는 열권이며, 오로라 현상이 나타나는 곳이다.

5. 다음 중 생물권의 진화에 대한 설명으로 옳은 것을 〈보기〉에서 모두 고른 것은?

〈보기〉

ㄱ. 지구에 생물이 탄생할 수 있었던 것은 바다가 형성되었기 때문이다.
ㄴ. 육지에 생물이 출현할 수 있었던 것은 오존층의 형성과 관련이 있다.
ㄷ. 지구 자기장과 오존층은 해로운 우주선을 막아 생명체를 보존한다.

① ㄱ
② ㄴ, ㄷ
③ ㄱ, ㄴ
④ ㄱ, ㄴ, ㄷ

6. 다음 그림은 지구환경 구성 요소 간의 상호 작용을 나타낸 것이다. 이에 대한 설명으로 옳은 것은?

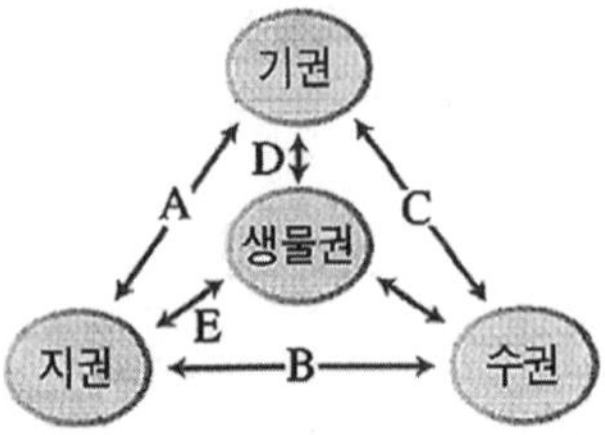

① 육지에서 화산 가스가 대기로 방출되는 것은 B에 해당한다.
② 석회암 지대에 지하수가 흘러 석회동굴이 생성되는 것은 E에 해당한다.
③ 생물의 유해가 묻혀 화석연료가 생성되는 것은 D에 해당한다.
④ 해수의 수온 상승으로 태풍이 더 강해지는 것은 C에 해당한다.

7. 오른쪽 그림은 지구 시스템의 에너지원의 종류와 비율을 나타낸 것이다. A, B, C는 각각 태양, 조력, 지구 내부 에너지 중의 하나이다. 이에 대한 설명으로 옳은 것을 〈보기〉에서 모두 고르면?

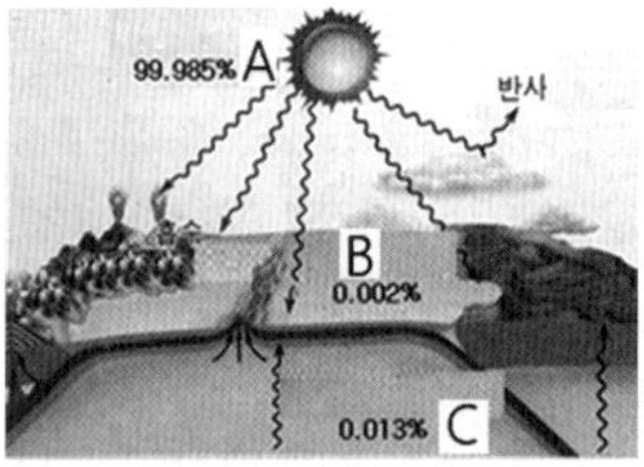

〈보기〉

ㄱ. A는 기상 현상을 일으키는 태양 에너지이다.
ㄴ. B는 태양보다 달의 인력의 영향이 더 크다.
ㄷ. C는 태양 에너지가 지구 내부에 저장된 것이다.

① ㄱ, ㄴ
② ㄴ, ㄷ
③ ㄱ, ㄷ
④ ㄱ, ㄴ, ㄷ

8. 다음 사진의 홍수와 지진은 지구 시스템에서 일어나는 자연 재해들이다.

(가) 홍수

(나) 지진

(가) 홍수와 (나) 지진을 일으키는 지구 시스템의 에너지원을 옳게 나열한 것은?

(가) 홍수	(나) 지진
① 지구 내부 에너지	태양 에너지
② 태양 복사 에너지	지구 내부 에너지
③ 조력 에너지	태양 에너지
④ 태양 복사 에너지	조력 에너지

9. 다음 그림은 지구 전체의 평균적인 물의 순환을 나타낸 것이다.

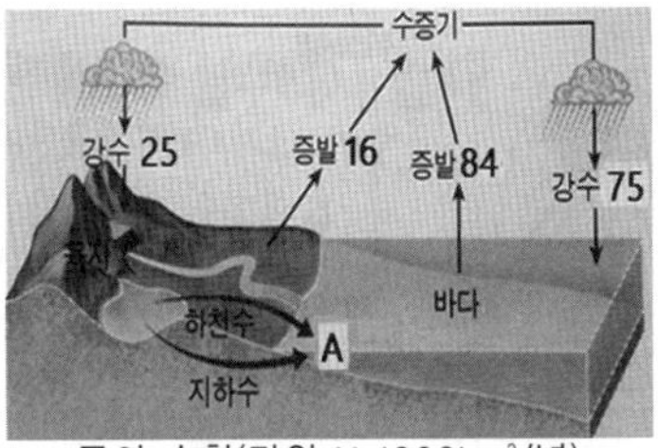

물의 순환(단위 X 1000km^3/년)

이에 대한 설명으로 옳지 <u>않은</u> 것은?

① 물의 순환은 지표를 변화시킨다.

② 물의 순환은 대기 중의 날씨 변화를 일으킨다.

③ 물의 순환의 에너지는 태양 에너지이다.

④ 지권으로 유입된 물은 모두 바다로 이동한다.

10. 다음 그림은 지구계에서 탄소의 순환 과정 일부를 나타낸 것이다.

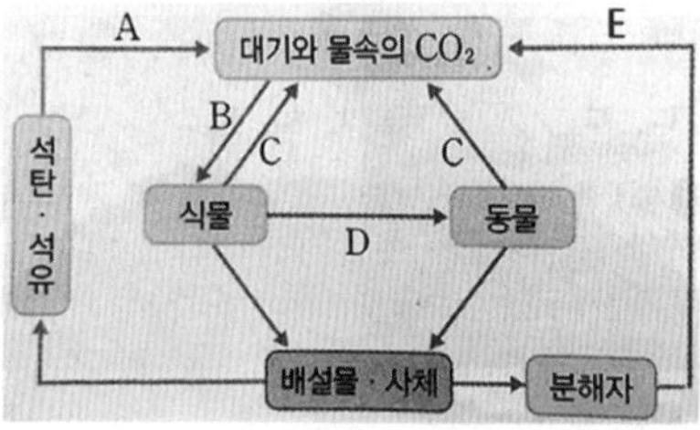

이에 대한 설명으로 옳은 것을 〈보기〉에서 모두 고른 것은?

〈보기〉

ㄱ. A, C, E에서 탄소는 이산화탄소의 형태로 이동한다.
ㄴ. B는 광합성, C는 호흡 과정이다.
ㄷ. D과정에서 탄소는 유기물의 형태로 이동한다.

① ㄱ, ㄴ
② ㄴ, ㄷ
③ ㄱ, ㄷ
④ ㄱ, ㄴ, ㄷ

11. 다음 설명에 해당하는 판의 경계를 순서대로 옳게 배열한 것은?

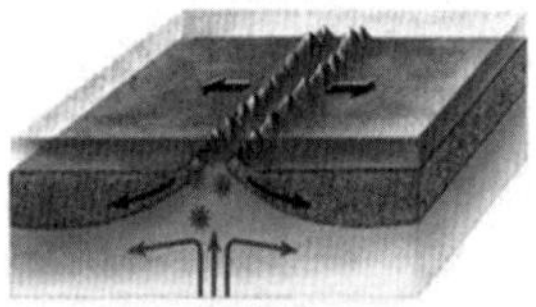	(가)	· 발산형 경계에 해당한다. · 맨틀 대류의 상승부이다. · 새로운 해양판이 생성된다.
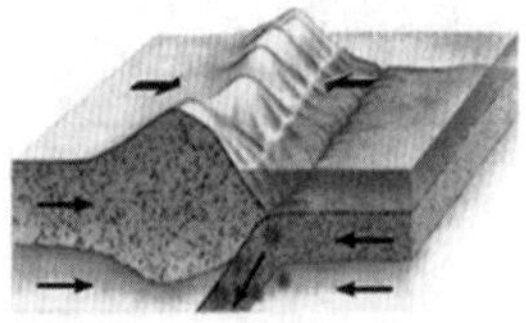	(나)	· 수렴형 경계이다. · 맨틀 대류의 하강부이다. · 해양판이 소멸한다.

	(가)	(나)
①	해령	해구
②	해령	습곡산맥
③	습곡산맥	해구
④	해령	변환단층

12. 지권에서 판의 구조와 운동에 대한 설명으로 옳은 것을 〈보기〉에서 모두 고른 것은?

〈보기〉

ㄱ. 지구 표면은 여러 개의 판으로 이루어져 있다.
ㄴ. 판의 이동을 일으키는 원동력은 맨틀 대류이다.
ㄷ. 판과 판이 멀어지는 곳에 습곡산맥이 형성된다.

① ㄱ
② ㄷ
③ ㄱ, ㄴ
④ ㄴ, ㄷ

13. 화산 활동이 지구 시스템에 미치는 영향에 대한 설명으로 옳은 것을 〈보기〉에서 모두 고른 것은?

〈보기〉

ㄱ. 용암은 농경지나 건물을 파괴하고, 산불과 인명 피해를 발생시킨다.
ㄴ. 화산재는 햇빛을 차단하여 지구를 보온하여 기온을 상승시킨다.
ㄷ. 화산 기체로 인해 산성비가 내리고, 토양을 산성화시킨다.

① ㄱ, ㄴ
② ㄴ, ㄷ
③ ㄱ, ㄷ
④ ㄱ, ㄴ, ㄷ

14. 생명 시스템의 구성 단계에 대한 설명으로 옳지 않은 것은?

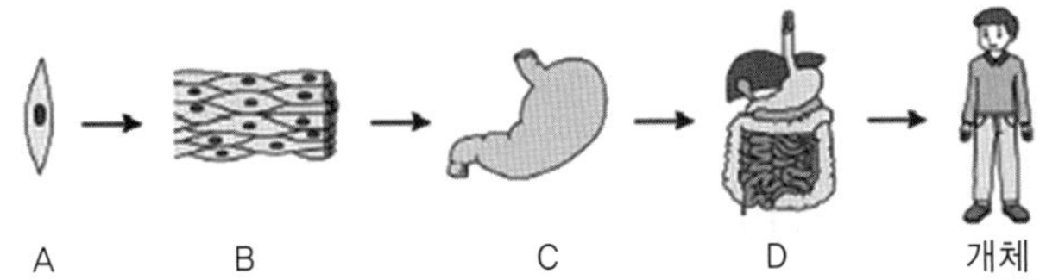

① A는 생명 시스템의 기본 단위인 세포이다.
② B는 모양과 기능이 비슷한 세포들의 모임이다.
③ C는 한 가지 조직으로 이루어진 구성 단계이다.
④ D는 식물에는 없고 동물에만 있는 구성 단계이다.

15. 다음 그림은 엽록체, 미토콘드리아, 핵을 순서 없이 배열한 것이다.

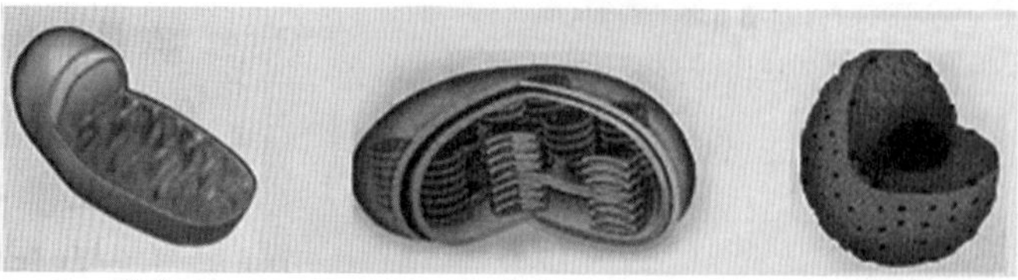

이에 대한 설명으로 옳은 것을 〈보기〉에서 모두 고른 것은?

〈보기〉

ㄱ. (가)는 포도당을 분해하는 미토콘드리아이다.
ㄴ. (나)는 엽록체이며, 광합성이 일어난다.
ㄷ. (다)는 핵이며, 유전 물질이 들어 있다.

① ㄱ, ㄴ
② ㄴ, ㄷ
③ ㄱ, ㄷ
④ ㄱ, ㄴ, ㄷ

16. 다음 그림은 세포막의 구조와 세포막을 통한 물질 A, B의 이동을 나타낸 것이다.

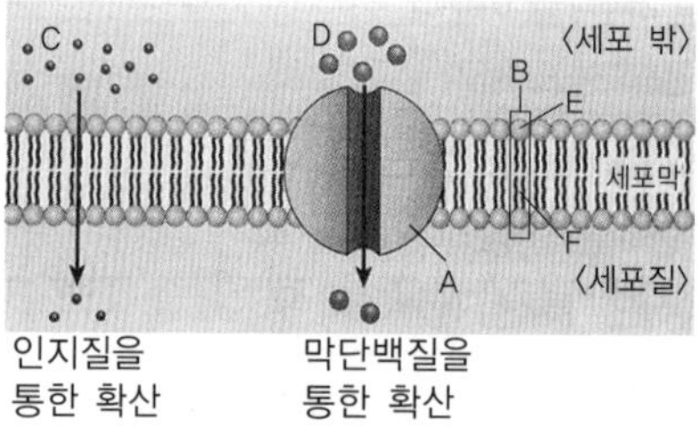

이에 대한 설명으로 옳은 것을 〈보기〉에서 모두 고른 것은?

〈보기〉

ㄱ. A는 단백질이고, B는 인지질이다.
ㄴ. 물질 C와 D의 이동 원리는 삼투현상이다.
ㄷ. E는 머리 부분인 친수성, F는 꼬리 부분인 소수성이다.
ㄹ. C와 D의 이동에 에너지가 필요하다.

① ㄱ, ㄴ
② ㄱ, ㄷ
③ ㄴ, ㄹ
④ ㄱ, ㄴ, ㄹ

17. 오른쪽 그림에서 과정A와 과정B는 물질대사 과정을 나타낸 것이다.
이에 대한 설명으로 옳은 것을 〈보기〉에서 모두 고른 것은?

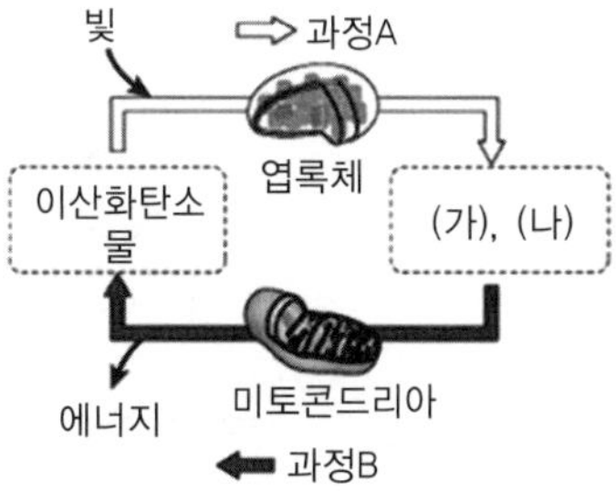

〈보기〉

ㄱ. 과정A는 동화 작용, 과정B는 이화 작용이다.
ㄴ. (가), (나)는 포도당과 산소이다.
ㄷ. 과정A는 흡열, 과정B는 발열 반응이며 모두 효소가 관여한다.

① ㄱ, ㄴ
② ㄴ, ㄷ
③ ㄱ, ㄷ
④ ㄱ, ㄴ, ㄷ

18. 다음 그림 (가)와 (나)는 포도당이 연소되는 반응과 세포 호흡으로 분해되는 반응을 순서 없이 나타낸 것이다.

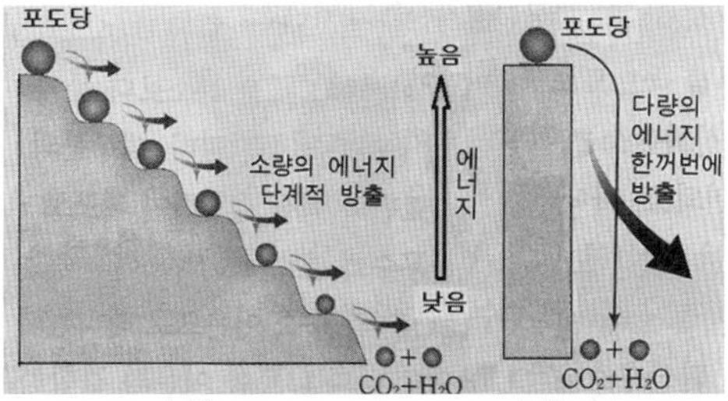

(가) (나)

이에 대한 설명으로 옳은 것을 〈보기〉에서 모두 고른 것은?

〈보기〉

ㄱ. (가)는 연소, (나)는 세포 호흡 반응이다.
ㄴ. (가)에서는 서서히 단계적으로, (나)에서는 한꺼번에 에너지가 방출된다.
ㄷ. (가)에는 효소가 관여하나, (나)에서는 관여하지 않는다.
ㄹ. (가)와 (나) 모두 산소가 필요하다.

① ㄱ, ㄴ
② ㄷ, ㄹ
③ ㄴ, ㄷ, ㄹ
④ ㄱ, ㄴ, ㄹ

19. 다음 그림은 효소와 기질의 반응 과정을 모식적으로 나타낸 것이다.

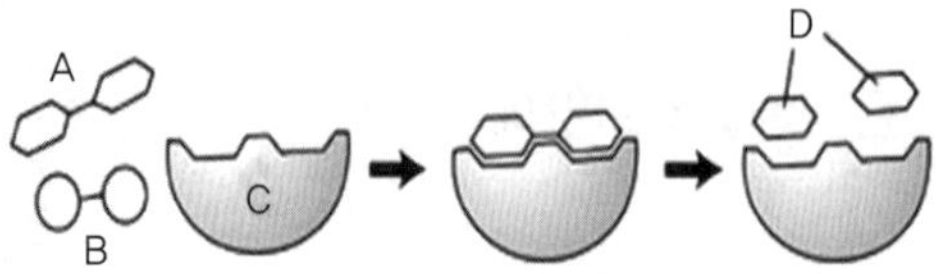

이에 대한 설명으로 옳은 것을 〈보기〉에서 모두 고른 것은?

〈보기〉

ㄱ. B는 반응물(기질), D는 생성물이다.
ㄴ. C에 의해 활성화 에너지가 감소한다.
ㄷ. C는 주성분이 단백질이며, 재사용이 가능하다.

① ㄱ, ㄴ
② ㄴ, ㄷ
③ ㄱ, ㄷ
④ ㄱ, ㄴ, ㄷ

20. 다음 중 사람의 염색체에 대한 설명으로 옳지 <u>않은</u> 것은?

① 생물체의 특성을 결정하는 유전자가 존재한다.
② 암수 공통으로 가지는 것을 상염색체라 한다.
③ 남자의 성염색체는 XY, 여자는 XX이다.
④ 체세포의 염색체 수는 23개, 생식세포는 46개이다.

21. 다음 중 ㉠, ㉡ 안에 들어갈 말을 순서대로 옳게 배열한 것은?

유전자에는 염기의 배열 순서에 따라 (㉠)의 배열 순서를 결정하는 유전 정보가 저장되어 있다. 이 정보에 의하여 (㉡)이 만들어져 개체의 유전 형질이 발현되게 한다.

	㉠	㉡
①	염기	아미노산
②	아미노산	단백질
③	단백질	염기
④	단백질	아미노산

22. 다음 설명에 해당하는 것은?

· 2중 나선 구조를 하고 있다.
· 유전 정보를 저장하고 있는 물질이다.
· 핵 속에 존재한다.

① ATP
② DNA
③ 세포막
④ 엽록체

23. 다음 중 DNA에 대한 설명이다. 옳지 않은 것은?

① DNA는 유전 물질이다.
② DNA는 2중 나선 구조이다.
③ DNA 구성 염기에는 A, G, C, U 가 있다.
④ 인산 : 당 : 염기가 1 : 1 : 1로 구성되어 있다.

24. 오른쪽 그림은 어떤 DNA의 일부를 나타낸 것이다. 이 DNA의 2중 나선을 구성하는 염기 중 A의 비율이 30%일 때 G의 비율은? (단, 돌연 변이는 없다.)

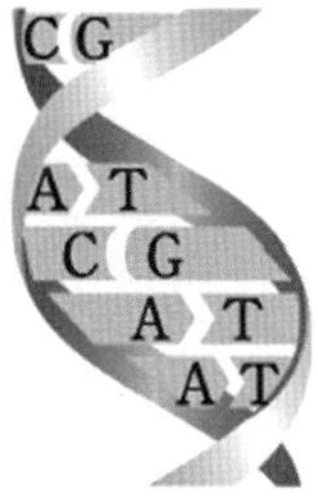

① 10%
② 20%
③ 30%
④ 40%

25. 다음은 DNA에 저장된 유전 정보의 흐름을 나타낸 것이다.

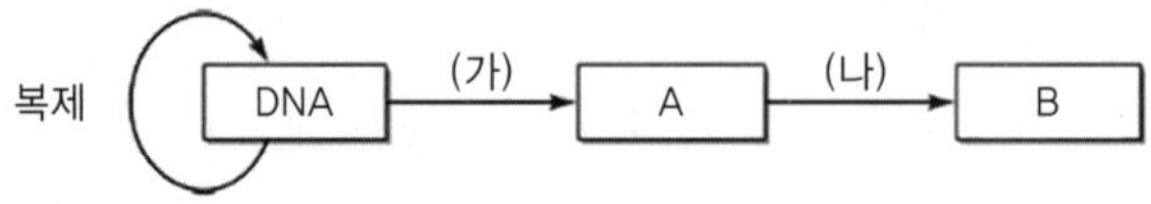

이에 대한 설명으로 옳은 것을 〈보기〉에서 모두 고른 것은?

〈보기〉

ㄱ. (가)는 전사, (나)는 번역이다.
ㄴ. A는 RNA이고, B는 단백질이다.
ㄷ. (가), (나) 모두 핵에서 일어난다.

① ㄱ, ㄴ
② ㄴ, ㄷ
③ ㄱ, ㄷ
④ ㄱ, ㄴ, ㄷ

04

08. 산화와 환원
09. 산과 염기
10. 지질시대와 진화

08 산화와 환원

01. 지구와 생명의 역사를 바꾼 화학 반응

- 광합성, 화석 연료의 연소, 철의 제련 등의 화학 반응은 모두 산소가 관여하는 산화 환원 반응으로 지구 역사에 큰 변화를 가져오게 한 화학 반응들이다.

(1) 산소의 이동에 의한 산화 · 환원 반응 정의

1) **산화** : 물질이 산소를 얻는 반응이다.

$$C + O_2 \longrightarrow CO_2 \qquad 2Cu + O_2 \longrightarrow 2CuO$$

(C → CO_2: 산화, Cu → CuO: 산화)

2) **환원** : 물질이 산소를 잃는 반응이다.

$$2CuO \longrightarrow 2Cu + O_2$$

(CuO → Cu: 환원)

3) **산화 · 환원 반응의 동시성** : 산화 · 환원 반응은 항상 동시에 일어난다.

- 붉은색의 구리를 가열하면 산화되어 검은색의 산화구리가 된다.
  검은색의 산화구리(Ⅱ)를 탄소와 섞어 다시 가열하면 산화구리는 환원되어 붉은색의 구리가 되고, 탄소는 산화되어 이산화탄소가 된다.
- 이산화탄소의 생성 확인 : 석회수가 뿌옇게 흐려진다.

$$2CuO + C \longrightarrow 2Cu + CO_2$$

(C → CO_2: 산화, CuO → Cu: 환원)

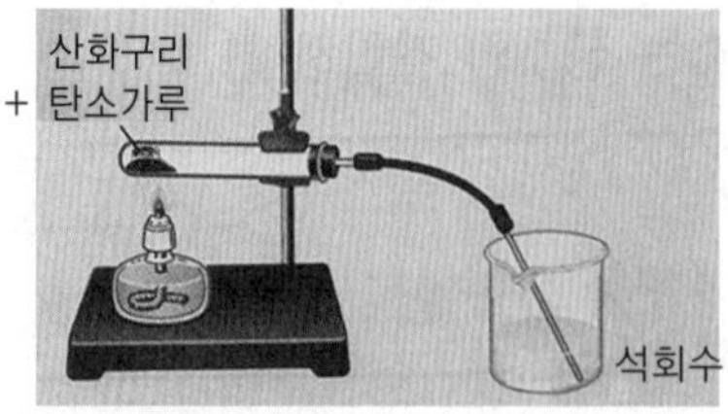

▲ 산화구리의 환원

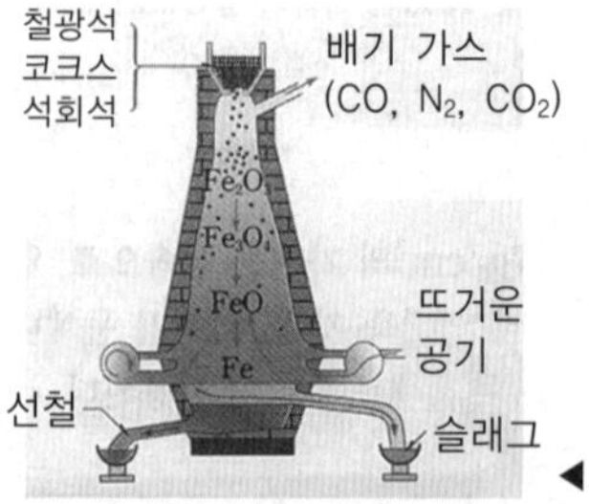

◀ 철의 제련

(2) 산소의 이동에 의한 산화 · 환원 반응의 종류

1) 광합성과 세포 호흡

광합성	세포 호흡
• 포도당과 산소를 합성하는 반응, 엽록체에서 일어난다.	• 포도당이 산화되어 에너지를 생성하는 반응, 미토콘드리아에서 일어난다.
$6CO_2 + 6H_2O \rightarrow C_6H_{12}O_6 + 6O_2$ (산화: $H_2O \rightarrow O_2$, 환원: $CO_2 \rightarrow C_6H_{12}O_6$)	$C_6H_{12}O_6 + 6O_2 \rightarrow 6CO_2 + 6H_2O + E$ (산화: $C_6H_{12}O_6 \rightarrow CO_2$, 환원: $O_2 \rightarrow H_2O$)

2) 화석 연료의 연소

• 연소 : 물질이 산소와 빠르게 반응하여 열과 빛을 내는 현상이다.

• 화석연료(석탄, 석유, 천연가스)는 인류의 주요 에너지원으로 산업혁명과 산업 발달, 교통의 발달을 가져올 수 있게 하였다. 그러나 연소 생성물인 이산화탄소가 지구 온난화의 원인이 되고 있다.

천연가스(메테인)의 연소 : 주성분 C, H

$$CH_4 + 2O_2 \rightarrow CO_2 + 2H_2O$$

(산화: $CH_4 \rightarrow CO_2$, 환원: $O_2 \rightarrow H_2O$)

3) 철의 제련과 부식

① 철의 제련 : 철광석은 산화철(Fe_2O_3)이 주성분으로 산소를 제거해야 철이 된다.

• 인류는 철의 제련으로 무기와 도구를 만들어 사용하면서 철기시대를 열었고, 오늘날에도 철은 산업 전반에 대량 사용되고 있다.

$$Fe_2O_3 + 3CO \rightarrow 2Fe + 3CO_2$$

(산화: $CO \rightarrow CO_2$, 환원: $Fe_2O_3 \rightarrow Fe$)

② 철의 부식 : 철은 공기 중의 산소와 물에 의해 산화되어 붉은색의 녹을 만든다. 따라서 부식을 방지하려면 산소와 물의 접촉을 막는 페인트칠을 하거나 기름칠을 하는 것이 좋다.

$$4Fe + 3O_2 + xH_2O \rightarrow Fe_2O_3 \cdot xH_2O$$

(산화: $Fe \rightarrow Fe_2O_3 \cdot xH_2O$)

(3) 전자의 이동에 의한 산화 · 환원 반응 정의

1) **산화** : 전자를 잃는 반응이다.

2) **환원** : 전자를 얻는 반응이다.

$$Zn \longrightarrow Zn^{2+} + 2e^- \quad (\text{산화}) \qquad\qquad Cu^{2+} + 2e^- \longrightarrow Cu \quad (\text{환원})$$

3) **산화 · 환원 반응의 동시성** : 한 물질이 전자를 잃으면, 다른 물질은 전자를 얻는다.

$$Cu + 2Ag^+ \longrightarrow Cu^{2+} + 2Ag \qquad\qquad Zn + Cu^{2+} \longrightarrow Zn^{2+} + Cu$$

(산화: $Cu \rightarrow Cu^{2+}$, 환원: $Ag^+ \rightarrow Ag$ / 산화: $Zn \rightarrow Zn^{2+}$, 환원: $Cu^{2+} \rightarrow Cu$)

(4) 전자의 이동에 의한 산화 · 환원 반응의 종류

1) **금속과 묽은 염산(HCl)의 반응**

① 묽은 염산에서 아연(Zn)은 산화되어 Zn^{2+} 양이온이 되고, 수소이온(H^+)은 환원되어 수소(H_2) 기체가 발생한다.

② $Zn + 2H^+ \longrightarrow Zn^{2+} + H_2$ (산화: $Zn \rightarrow Zn^{2+}$, 환원: $H^+ \rightarrow H_2$)

2) **금속과 금속 염 수용액의 반응**

① 구리(Cu)와 질산은($AgNO_3$) 수용액의 반응

- 구리(Cu)는 산화되어 수용액이 푸른색(Cu^{2+})으로 되고, Ag^+ 양이온은 환원되어 구리 표면에 금속 은(Ag)이 석출된다.

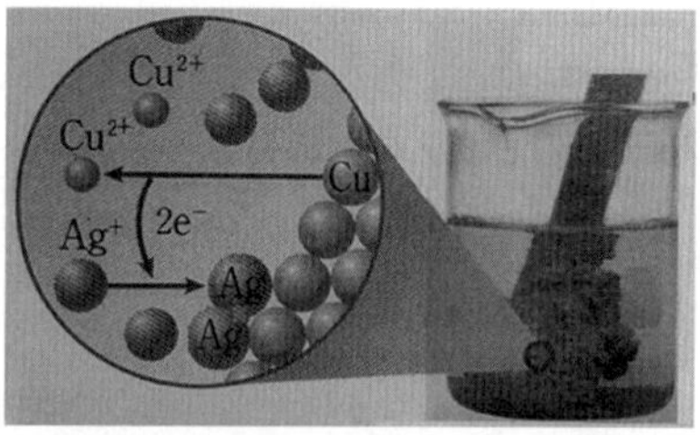

▲ 구리선과 질산은 수용액의 반응

② 아연(Zn)과 황산구리($CuSO_4$)(Ⅱ) 수용액의 반응

- 아연(Zn)은 산화되어 Zn^{2+}이 되고, 푸른색을 띠던 Cu^{2+} 수용액은 구리 금속(Cu)으로 환원되어 아연판 표면에 석출되므로 푸른색이 점점 옅어진다.

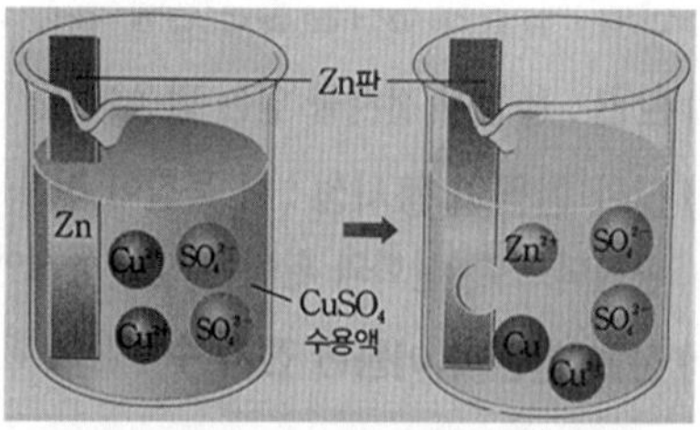

▲ 아연과 황산구리 수용액의 반응

3) 금속과 비금속의 반응

- 나트륨과 염소의 반응 : 금속 나트륨을 염소 기체가 들어 있는 용기에 넣으면 불꽃을 내며 반응한다.

  이때, 나트륨은 전자를 잃고·산화되어 양이온(Na^+)이 되고, 비금속인 염소는 전자를 얻고 환원되어 음이온(Cl^-)이 되어, 이온 결합 물질인 염화나트륨($NaCl$)을 생성한다.

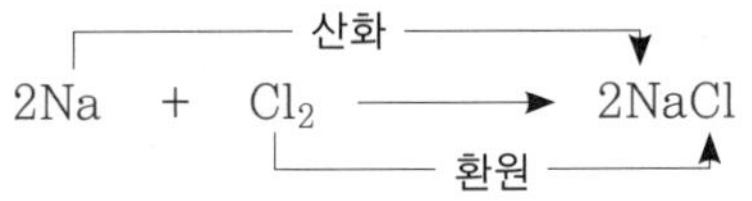

4) 우리 주변의 기타 산화 · 환원 반응 : 종이의 변색, 과일의 갈변, 음식의 부패, 포도당의 발효, 정수장의 소독, 상처에 바르는 과산화수소수, 김치의 발효, 손난로, 반딧불이의 불빛, 머리의 염색, 섬유의 표백 등

09 산과 염기

01. 산과 염기

(1) 산의 성질

1) 산 : 물에 녹아 이온화하여 수소 이온(H^+)을 내어 놓는 물질이다.

2) 산의 이온화

산		이온화			이온화도
HCl	⟶	H^+	+	Cl^-	0.92
H_2SO_4	⟶	$2H^+$	+	SO_4^{2-}	0.52
H_2CO_3	⟶	$2H^+$	+	CO_3^{2-}	0.0017
CH_3COOH	⟶	H^+	+	CH_3COO^-	0.013
		공통성		특이성	

3) 산의 공통 성질(산성) : 수소 이온(H^+)이 공통이기 때문!

① 수용액은 신맛이 난다.

② 수용액은 전류를 흐르게 하는 전해질이다.

③ 금속과 반응하여 수소(H_2) 기체를 발생시킨다.

$Mg + 2HCl \rightarrow MgCl_2 + H_2$

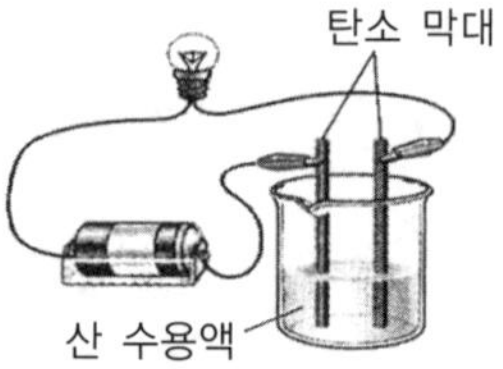

④ 달걀(조개)껍데기, 석회석, 대리석의 주성분인 탄산칼슘($CaCO_3$)과 반응하여 이산화탄소를 발생시킨다.

$CaCO_3 + 2HCl \rightarrow CaCl_2 + CO_2 + H_2O$

⑤ 지시약을 변색시킨다.

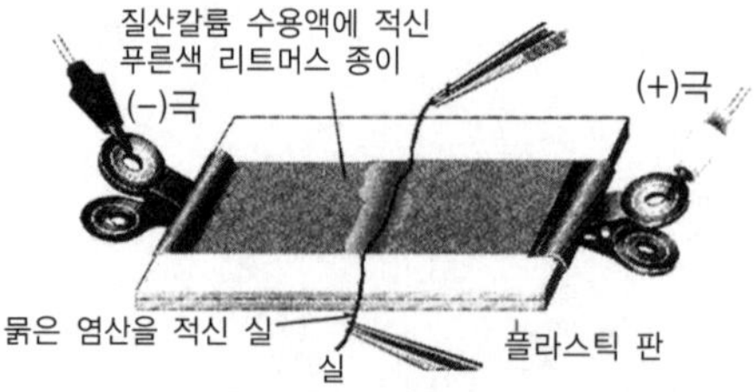

H⁺의 (−)극으로의 이동 실험

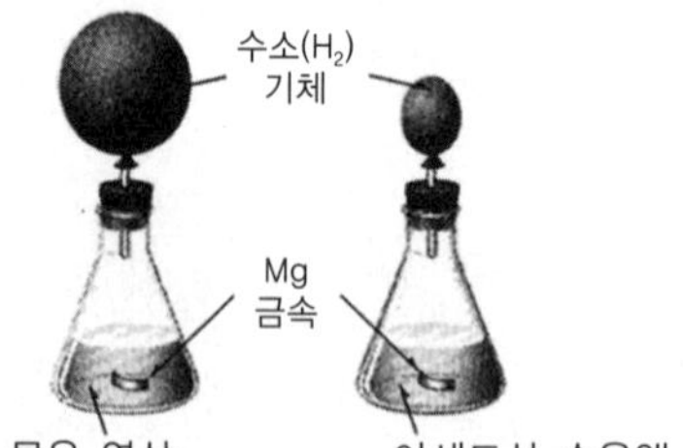

4) 우리 주변의 산성 물질

주변의 산성 물질	과일(레몬)	식초	탄산음료	김치, 유산균 음료	진통제
포함된 산	시트르산	아세트산	탄산	젖산	아세틸살리실산

5) 산의 특이성 : 산이 내놓는 음이온이 서로 다르기 때문이다.

(2) 염기의 성질

1) 염기 : 물에 녹아 이온화하여 수산화 이온(OH^-)을 내어 놓는 물질이다.

2) 염기의 이온화

염기		이온화			이온화도
$NaOH$	⟶	Na^+	+	OH^-	0.91
KOH	⟶	K^+	+	OH^-	0.91
$Ca(OH)_2$	⟶	Ca^{2+}	+	$2OH^-$	0.90
NH_4OH	⟶	NH_4^+	+	OH^-	0.013
		특이성		공통성	

3) 염기의 공통적 성질(염기성) : 수산화 이온(OH^-)이 공통이기 때문!

① 수용액은 쓴맛이 난다.
② 수용액은 전류를 흐르게 하는 전해질이다.
③ 금속이나 탄산칼슘과 반응하지 않는다.
④ 단백질을 녹이므로 손에 묻으면 미끈거린다.
⑤ 지시약을 변색시킨다.

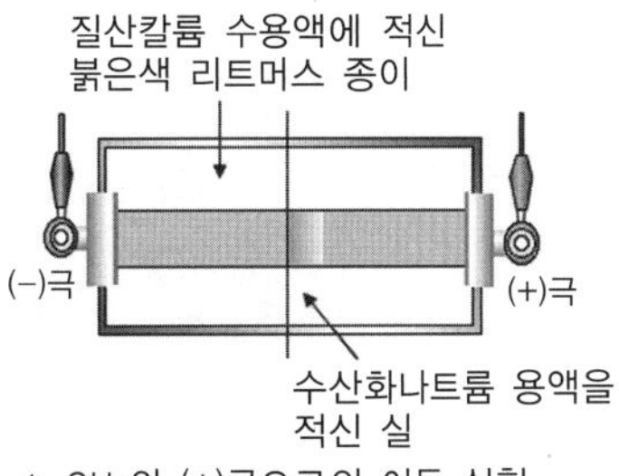

▲ OH^-의 (+)극으로의 이동 실험

4) 우리 주변의 염기성 물질

주변의 염기성 물질	비누, 하수구세정제, 유리세정제	베이킹소다	제산제	치약
포함된 염기	수산화나트륨	탄산수소 나트륨	수산화 마그네슘	탄산 나트륨

5) 염기의 특이성 : 염기가 내놓는 양이온이 서로 다르기 때문이다.

(3) 산과 염기의 세기

1) **강산(강염기)** : 수용액에서 대부분 이온화되어 H^+ (OH^-)를 많이 내는 산(염기)

강산 : HCl, H_2SO_4, HNO_3　　강염기 : $NaOH$, KOH, $Ca(OH)_2$

2) **약산(약염기)** : 수용액에서 일부만 이온화되어 H^+ (OH^-)를 적게 내는 산(염기)

약산 : CH_3COOH, H_2CO_3　　약염기 : NH_4OH, $Mg(OH)_2$

02. 산과 염기의 구별

(1) 지시약 : 수용액의 액성을 판단할 때 사용하는 물질

지시약	산성	중성	염기성
리트머스 종이	붉은색	-	푸른색
메틸오렌지 용액	붉은색	주황색	노란색
페놀프탈레인 용액	무색	무색	붉은색
BTB 용액	노란색	녹색	푸른색

(2) 천연 지시약 : 자주색 양배추, 붉은색 장미꽃, 포도 껍질, 검은 콩 등에서 추출한 용액

(3) pH : 수용액에 들어있는 H^+ 농도를 간단한 수치로 나타낸 값이다.

예 식초 : pH=3,　증류수 : pH=7,　비누 : pH=10

· pH 〈 7 : 산성　　· pH = 7 : 중성　　· pH 〉 7 : 염기성

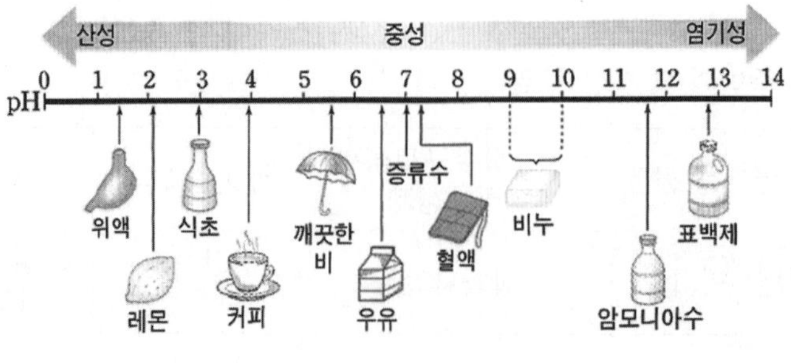

03. 중화 반응

(1) 중화 반응 : 산과 염기가 반응하여 염과 물을 생성하는 반응, 발열 반응이다.

산 + 염기 → 염 + 물 + 열

(2) 중화 반응식 : 산의 H^+ 이온과 염기의 OH^- 이온이 1 : 1 로 반응한다.

예 $HCl + NaOH \rightarrow NaCl + H_2O$

알짜 반응식 : $H^+ + OH^- \rightarrow H_2O$

1) 혼합 용액의 액성 파악하기

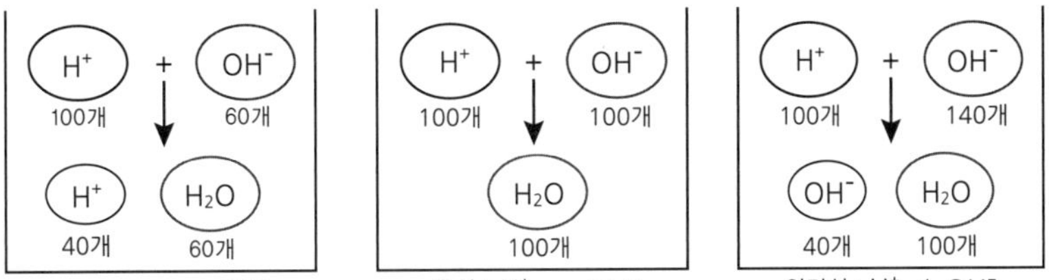

산성 : $H^+ > OH^-$　　중성 : $H^+ = OH^-$　　염기성 : $H^+ < OH^-$

2) 중화점 찾기

예 산성 용액에 BTB 지시약을 넣은 경우, 노란색이 녹색으로 변하는 순간에 염기를 가하는 것을 멈춘다. 이때가 중화점이다.

(3) 중화열 : 중화 반응은 발열 반응이므로 열이 발생한다.

1) 반응하는 산의 H^+ 와 염기의 OH^- 수가 많을수록 열이 많이 난다.

2) 완전 중화되었을 때(중화점)가 가장 많은 열이 난다.

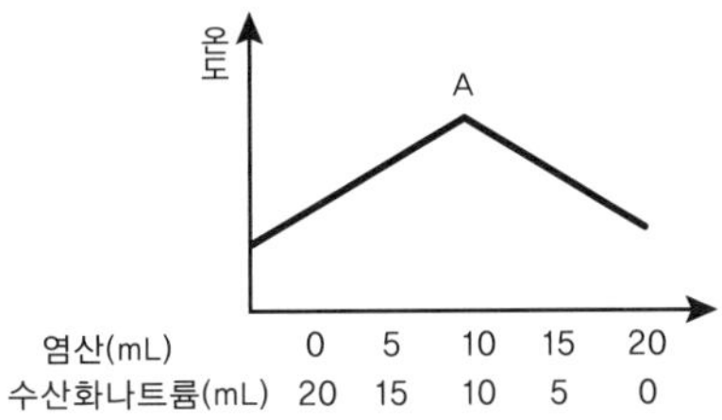

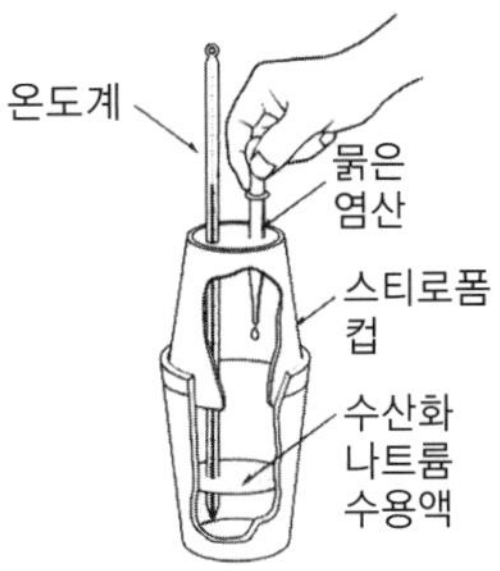

(4) 중화 반응의 이용

1) 개미나 벌에 쏘였을 때 암모니아수(NH_4OH)를 바른다.
2) 위산(pH=2) 과다에 제산제를 복용한다.
3) 산성토양의 중화에 석회 가루를 뿌린다.
4) 생선 비린내 제거에 레몬즙을 뿌린다.
5) 공장의 이산화황 배기가스를 산화칼슘으로 중화시킨다.
6) 비누로 머리 감았을 때, 식초 한 두 방울 탄물로 헹군다.
7) 신 김치에 베이킹소다를 넣어 중화시킨다.
8) 식사 후에 입안에 생기는 산성 물질을 치약으로 양치질한다.

10 지질 시대와 진화

01. 화석과 지질 시대

(1) 화석

1) 화석 : 지질 시대에 살았던 생물의 유해나 흔적이 지층 속에 남아 있는 것이다.

① 화석의 예 : 생물의 발자국, 뼈, 알, 기어간 흔적, 배설물, 빙하나 호박 속에 갇힌 생물 등

② 화석의 발견 : 셰일, 석회암, 사암 등과 같은 퇴적암 속에서 발견된다.

③ 화석의 생성 조건 : 단단한 뼈나 껍데기가 있고, 개체수가 많고, 빨리 묻히고, 지각 변동을 적게 받을수록 화석으로 남기 쉽다.

2) 화석의 구분

① 표준 화석 : 넓은 범위에 걸쳐 짧은 기간 동안 생존한 생물 화석으로, 지질 시대의 구분에 이용된다.

예 삼엽충, 공룡, 매머드 등

② 시상 화석 : 좁은 범위의 특정한 환경에서 서식하고 있는 생물 화석으로, 환경에 대한 정보를 제공해 준다.

예 고사리, 산호, 조개 등

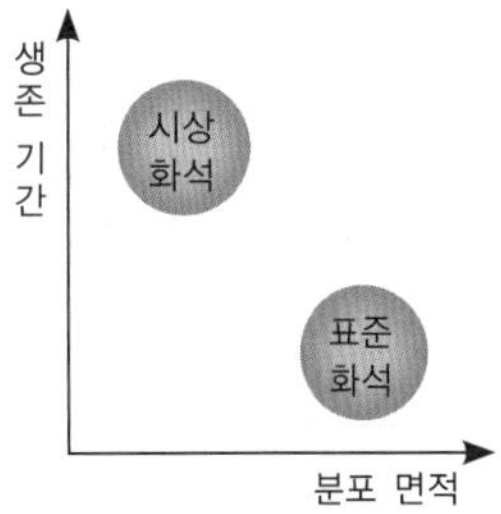

구분	표준 화석			시상 화석		
정의	지층의 생성 시대를 알려주는 화석			지층의 생성 당시 환경을 알려주는 화석		
조건	생존 기간이 짧고, 분포 면적이 넓다.			생존 기간이 길고, 분포 면적이 좁다.		
화석	 삼엽충 갑주어 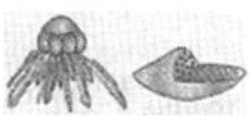 필석 방추충	 공룡 암모나이트  시조새	 화폐석  매머드	고사리 	산호 	조개 
				따뜻하고 습한 육지	따뜻하고 얕은 바다	얕은 바다나 갯벌
				활엽수 	침엽수 	
시대 및 환경	고생대	중생대	신생대	강수량이 많고 습한 육지	강수량이 적고 습도가 낮은 육지	

(2) 화석으로 알 수 있는 것

1) **지층 생성 시대와 당시의 환경** : 표준 화석과 시상 화석으로 알 수 있다.

2) **지층의 대비** : 표준 화석을 이용하여 멀리 떨어진 두 지층을 비교할 수 있다.

3) **과거의 수륙 분포** : 화석을 통해 지층 생성 당시에 그 지역이 육지 환경이었는지 바다 환경이었는지 등을 알 수 있다.

4) **대륙의 이동** : 멀리 떨어진 대륙의 화석들을 비교하여 대륙이 어떻게 이동했는지를 알 수 있다.

5) **지층의 융기** : 강원도 삼척의 삼엽충, 히말라야의 암모나이트 화석을 통해 지층이 융기했음을 알 수 있다.

6) **생물 진화 과정** : 생성 연대가 다른 지층에서 발견되는 화석으로 생물의 진화 정도를 알 수 있다.

예 시조새의 화석 : 파충류와 조류의 중간형

02. 지질 시대의 환경과 생물

(1) 지질 시대의 구분

1) **지질 시대** : 지구가 탄생한 46억 년 전부터 현재까지의 지구의 역사를 말한다.

① 지구 환경의 급격한 변화로 인한 생물계의 변화를 기준으로 구분한다.

② 지질 시대의 길이 : 선캄브리아대가 전체 지질 시대의 약 87%를 차지한다.

2) **지질 시대의 수륙 분포**

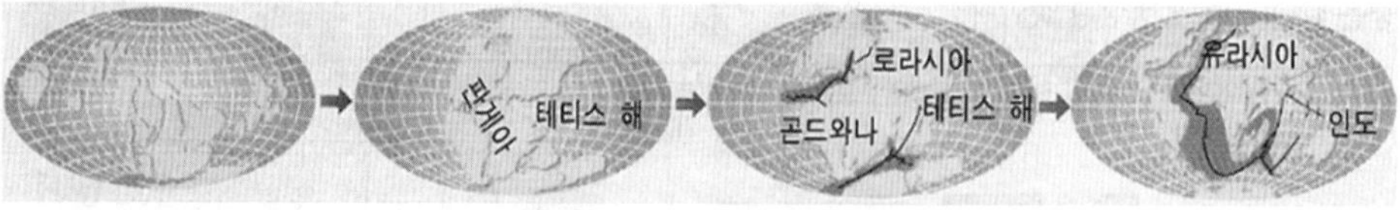

고생대 중기 고생대 말기 중생대 신생대 말기

3) **지질 시대의 생물**

① 선캄브리아대 : 46억 년~5억4천만 년

- 바다에서 최초로 단세포 생물과 원시 해조류 등이 출현하였다.
- 광합성을 하는 남세균의 출현으로 산소량이 증가하였고, 산출되는 화석은 남세균이 쌓여 형성된 스트로마톨라이트가 대표적이다.

② 고생대 : 5억4천만 년~2억5천만 년
- 대기에 오존층의 형성으로 육상 생물이 출현하였다.
- 선캄브리아대에 비해 생물종이 급격히 증가하여 다양한 화석이 산출된다.
- 말기에 판게아 형성, 화산 분출, 빙하기 등으로 생물의 대량 멸종이 있었다.

바다	무척추 동물(삼엽충, 필석, 방추충, 완족류), 어류(갑주어) 번성
육지	양서류, 곤충류, 양치식물(고사리) 번성 양치식물이 대량 묻혀 석탄층 형성

③ 중생대 : 2억5천만 년~6천5백만 년
- 동물로는 암모나이트와 파충류, 식물로는 겉씨식물이 크게 번성하였다.
- 말기에 운석의 충돌로 암모나이트와 공룡 등의 생물이 대량 멸종하였다.

바다	암모나이트 번성
육지	파충류 시대(공룡), 시조새, 겉씨식물(은행, 소나무, 소철) 번성

④ 신생대 : 6천5백만 년~1만 년 전
- 동물로는 포유류, 식물로는 속씨식물이 번성하였다.
- 말기에 인류의 조상이 출현하였다.

바다	대형 유공충인 화폐석 번성
육지	포유류 시대(매머드), 조류, 속씨식물(밤나무, 참나무) 번성, 인류의 직계 조상 출현

(2) 대멸종과 생물 다양성

1) 대멸종의 원인

① 지질 시대에는 5번의 대멸종이 있었다.

② 원인 : 수륙 분포와 해수면의 변화, 대륙의 이동에 따른 대규모의 지진과 화산 활동, 빙하기 같은 기후 변화, 운석 충돌로 추정한다.

큰 규모	시기	특징
3차 대멸종	고생대 말	판게아 형성, 빙하기 등으로 역사상 가장 큰 규모의 대멸종, 중생대가 시작되게 함
5차 대멸종	중생대 말	운석의 충돌로 대멸종, 신생대가 시작되게 함

2) **대멸종과 생물 다양성**

지구 환경의 급격한 변화는 대멸종의 원인이 되지만, 살아남은 생물은 다양한 종으로 분화되고 진화하여 새로운 생태계, 즉 생물 다양성을 증가시켰다.

1. 다음 설명에 해당하는 반응은?

· 물질이 산소와 결합하는 것이다.
· 물질이 전자를 잃는 반응이다.

① 산화 반응
② 환원 반응
③ 중화 반응
④ 앙금 반응

2. 다음은 지구와 생명의 역사를 바꾼 반응들이다.
( )에 공통으로 들어갈 물질은?

· 이산화탄소 + 물 → 포도당 + ( )
· 화석 연료 + ( ) → 이산화탄소 + 물
· 코크스(C) + ( ) → 일산화탄소

① 질소
② 이산화탄소
③ 수소
④ 산소

3. 다음은 화석 연료의 완전 연소 과정을 나타낸 것이다.

화석 연료(석유) + (가) → (나) + 물

이에 대한 설명으로 옳은 것을 〈보기〉에서 모두 고른 것은?

〈보기〉

ㄱ. (가)는 산소이다.
ㄴ. (나)는 지구 온난화를 일으킨다.
ㄷ. 석유는 주성분이 C와 H로 되어있다.

① ㄱ, ㄴ
② ㄴ, ㄷ
③ ㄱ, ㄷ
④ ㄱ, ㄴ, ㄷ

4. 다음은 산소의 이동에 의한 산화 환원 화학 반응식이다.

$$2CuO + C \rightarrow 2Cu + CO_2$$

이에 대한 설명으로 옳은 것을 〈보기〉에서 모두 고른 것은?

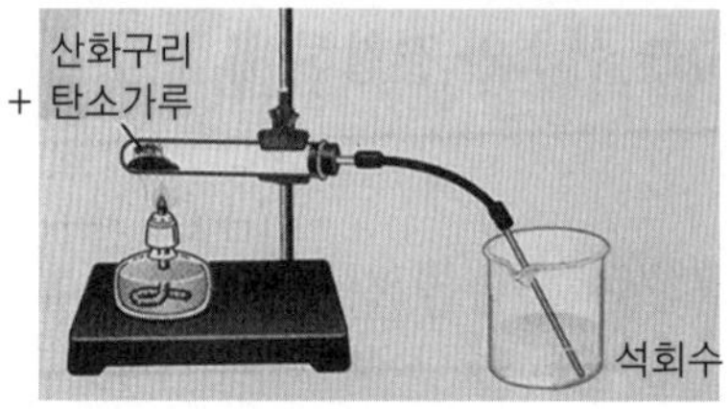

〈보기〉

ㄱ. 산화구리는 산화되고, 탄소가루는 환원된다.
ㄴ. 검은색의 산화구리는 붉은색의 구리가 된다.
ㄷ. 이산화탄소의 발생으로 석회수가 뿌옇게 흐려진다.

① ㄱ, ㄴ ② ㄴ, ㄷ ③ ㄱ, ㄷ ④ ㄱ, ㄴ, ㄷ

5. 다음 그림은 자연에서 채굴되는 철광석으로 다음 반응 과정을 거쳐야 사용할 수 있다.

$$Fe_2O_3 + 3CO \rightarrow 2Fe + 3CO_2$$

이에 대한 설명으로 옳은 것을 〈보기〉에서 모두 고른 것은?

〈보기〉

ㄱ. 제련은 철광석에서 수소를 떼어내는 것이다.
ㄴ. 철을 제련하면서 많은 양을 사용하게 되었다.
ㄷ. 금속 광물은 제련해야 사용할 수 있다.

① ㄱ, ㄴ ② ㄴ, ㄷ ③ ㄱ, ㄷ ④ ㄱ, ㄴ, ㄷ

6. 오른쪽 그림은 구리판(Cu)을 무색의 질산은($AgNO_3$) 수용액에 넣었을 때의 반응이다. 이에 대한 설명으로 옳은 것을 〈보기〉에서 모두 고른 것은?

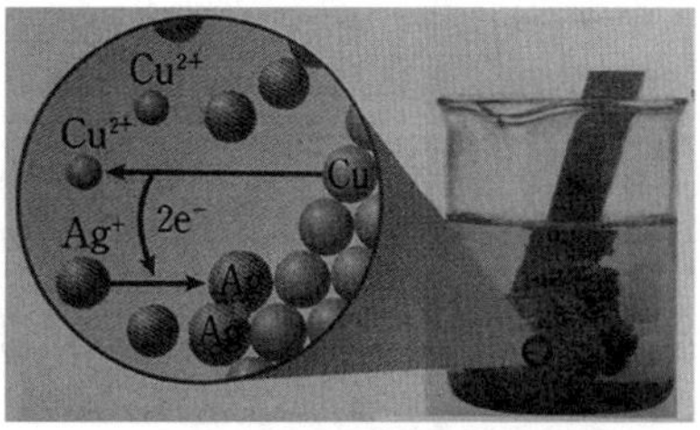

〈보기〉

ㄱ. 구리판은 Cu^{2+}로 산화된다.
ㄴ. 구리판에 은(Ag)이 석출된다.
ㄷ. 수용액은 점점 푸른색이 진해진다.

① ㄱ, ㄴ　　② ㄴ, ㄷ
③ ㄱ, ㄷ　　④ ㄱ, ㄴ, ㄷ

7. 오른쪽 그림은 아연판(Zn)을 푸른색의 황산구리($CuSO_4$) 수용액에 넣었을 때의 반응이다. 이에 대한 설명으로 옳은 것을 〈보기〉에서 모두 고른 것은?

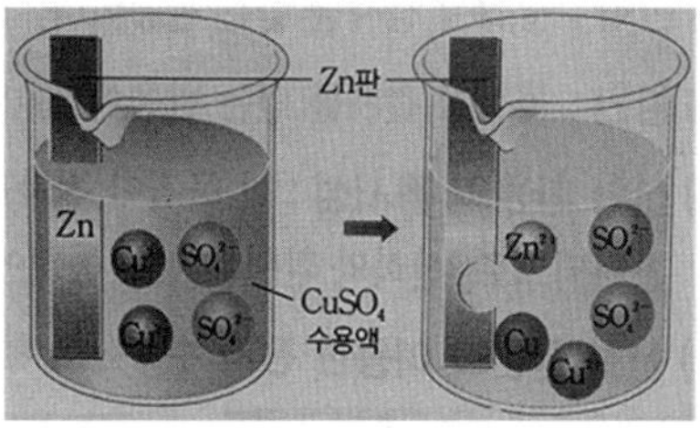

〈보기〉

ㄱ. 아연판은 Zn^{2+}로 환원된다.
ㄴ. 아연판에 붉은색의 구리(Cu)가 석출된다.
ㄷ. 수용액의 푸른색은 옅어진다.
ㄹ. 황산이온(SO_4^{2-})의 수는 변함이 없다.

① ㄱ, ㄴ　　② ㄴ, ㄷ
③ ㄱ, ㄷ, ㄹ　　④ ㄴ, ㄷ, ㄹ

8. 다음은 몇 가지 물질의 화학식이다.

HCl	H_2SO_4	HNO_3	CH_3COOH

수용액 상태에서 나타나는 공통 성질이 <u>아닌</u> 것은?

① 수용액은 신맛이 나며, 전류가 흐른다.
② 수용액에 OH^- 이온이 들어있다.
③ 금속과 반응하여 수소(H_2) 기체를 발생시킨다.
④ 푸른색 리트머스 종이를 붉게 변화시킨다.

9. 다음은 몇 가지 물질의 화학식이다.

NaOH	KOH	$Ca(OH)_2$	NH_4OH

수용액 상태에서 나타나는 공통 성질이 <u>아닌</u> 것은?

① 수용액은 쓴맛이 나며, 전류를 흐른다.
② 수용액에 OH^- 이온이 들어있다.
③ 금속과 반응하여 수소(H_2) 기체를 발생시킨다.
④ BTB 용액을 넣으면 푸르게 변한다.

10. 다음에서 (가), (나)에 들어갈 말을 순서대로 옳게 배열한 것은?

> 산 수용액이 공통 성질을 갖는 것은 (가) 때문이고, 염기 수용액이 공통 성질을 갖는 것은 (나) 때문이다.

	(가)	(나)
①	수소 이온(H^+)	산화 이온(O^{2-})
②	산화 이온(O^{2-})	염화 이온(Cl^-)
③	수소 이온(H^+)	수산화 이온(OH^-)
④	수산화 이온(OH^-)	수소 이온(H^+)

11. 우리 주변의 몇 가지 물질을 나타낸 것이다.

레몬	제산제	식초	비누

이들 물질을 산성 물질과 염기성 물질로 옳게 분류한 것은?

	산성	염기성
①	레몬, 제산제	식초, 비누
②	레몬, 식초	제산제, 비누
③	레몬, 비누	식초, 제산제
④	제산제, 비누	레몬, 식초

12. 다음 중 묽은 염산(HCl)과 수산화나트륨(NaOH)의 반응에 대한 설명으로 옳지 <u>않은</u> 것은?

① 산과 염기의 중화 반응이다.
② 반응 결과 물이 생성된다.
③ 반응 결과 열이 발생한다.
④ 알짜 이온은 Na^+와 Cl^-이다.

13. 다음은 산과 염기의 중화 반응이다. 이에 대한 설명으로 옳은 것을 〈보기〉에서 모두 고른 것은?

· $HCl + NaOH \rightarrow NaCl + ($ 가 $)$
· $H_2SO_4 + 2KOH \rightarrow K_2SO_4 + 2($ 나 $)$

〈보기〉

ㄱ. 알짜이온은 H^+와 OH^-이다.
ㄴ. (가)와 (나) 공통의 물질은 물(H_2O)이다.
ㄷ. 위산 과다에 제산제를 복용하는 것도 같은 예이다.

① ㄱ, ㄴ　　② ㄴ, ㄷ
③ ㄱ, ㄷ　　④ ㄱ, ㄴ, ㄷ

14. 다음 표는 같은 농도의 묽은 염산(HCl)과 수산화나트륨(NaOH) 수용액을 부피를 다르게 혼합한 것이다. 혼합 용액의 액성이 다른 하나는?

실험	(가)	(나)	(다)	(라)
묽은 염산 부피	50mL	40mL	30mL	20mL
수산화나트륨 부피	10mL	20mL	25mL	30mL

① (가) ② (나) ③ (다) ④ (라)

15. 다음의 내용과 가징 관련이 깊은 화학 반응은?

· 벌에 쏘인 곳에 암모니아수를 바른다.
· 생선 비린내 제거에 레몬즙을 뿌린다.
· 위산 과다에 제산제를 복용한다.

① 앙금 반응 ② 침전 반응
③ 산화 반응 ④ 중화 반응

16. 다음 그래프는 염산과 수산화나트륨 수용액의 중화반응에서 혼합 용액의 온도를 나타낸 것이다. A~D 중 중화열이 가장 많이 발생한 지점을 고르면?

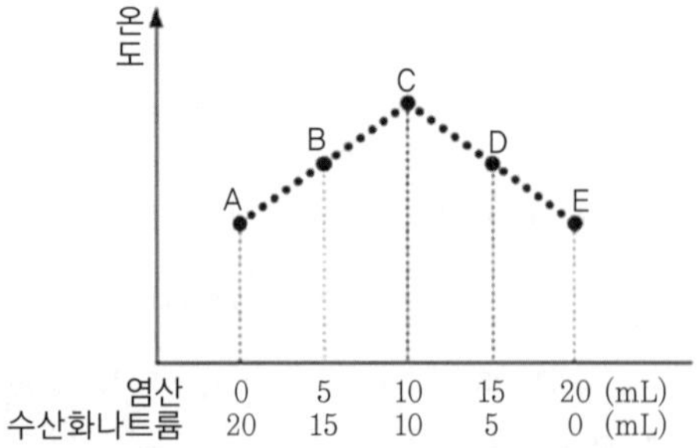

① A
② B
③ C
④ D

17. 다음은 화석을 생존 기간과 분포 면적으로 나타낸 것이다.

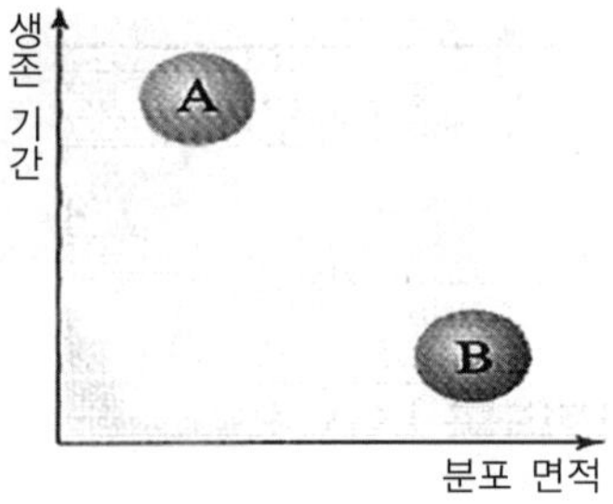

이에 대한 설명으로 옳은 것을 〈보기〉에서 모두 고른 것은?

〈보기〉

ㄱ. A는 표준 화석, B는 시상 화석이다.
ㄴ. A의 예로는 고사리, 산호 등이 있다.
ㄷ. 지질시대의 구분에는 A보다 B가 유리하다.

① ㄱ, ㄴ　　② ㄴ, ㄷ　　③ ㄱ, ㄷ　　④ ㄱ, ㄴ, ㄷ

18. 다음 설명에 해당하는 것은?

· 지질시대에 살았고 생존 기간이 짧으며 분포 면적이 넓은 생물의 유해이다.
· 지층이 생성된 시대를 알려주는 화석이다.
· 고생대의 삼엽충, 중생대의 공룡 등이 예이다.

① 사층리　　② 점이층리　　③ 시상 화석　　④ 표준 화석

19. 다음에서 설명하는 지질시대는?

· 지질시대 중 가장 길다.
· 산출되는 화석이 매우 드물다.
· 원시 생물이 최초로 출현한 시대이다.

① 고생대　　② 중생대
③ 신생대　　④ 선캄브리아대

20. 다음 중 고생대에 번성했던 표준 화석을 모두 고른 것은?

A

B

C

D

① A, B ② B, C ③ C, D ④ A, D

21. 다음 설명에 해당하는 지질 시대는?

· 공룡, 암모나이트 화석이 표준 화석이다.
· 트라이아스기, 쥐라기, 백악기로 나뉜다.

① 고생대 ② 중생대
③ 신생대 ④ 선캄브리아대

22. 다음에서 설명하는 지질 시대는?

· 최초의 인류가 출현하였다.
· 화폐석, 매머드가 표준 화석이다.

① 고생대 ② 중생대
③ 신생대 ④ 선캄브리아대

05

11. 생물 다양성과 유지
12. 생태계와 환경
13. 지구 환경 변화

11 생물 다양성과 유지

01. 생물의 진화

(1) 진화와 변이

1) **진화** : 생물이 오랜 시간동안 환경에 적응하여 변화하는 현상을 말한다.

2) **변이** : 같은 종의 개체 사이에서 나타나는 습성, 형태 등의 형질의 차이를 말한다.

① 완두의 모양 차이, 달팽이의 무늬 차이, 무당벌레의 무늬 차이 등

② 형질을 결정하는 대립 유전자의 차이에 의해 나타나므로 자손에게 전달된다.

③ 여러 세대에 걸쳐 변이가 전달되고 쌓여 진화가 일어나므로, 변이는 진화를 일으키는 원동력이 된다.

3) **유전적 변이의 원인** : 돌연변이와 생식 세포의 다양한 조합(유성생식)에 의해 일어난다.

구분	돌연변이	유성생식
개념	유전 물질(DNA)에 변화가 일어나 부모에 없던 형질이 자손에 나타나는 현상	암수의 생식 세포 수정으로 다양한 형질의 자손이 만들어짐
특징	새로운 대립 유전자가 만들어져 새로운 형질을 가진 자손이 나타날 수 있다.	부모의 유전자가 다양하게 조합되어 부모와 다른 형질의 자손이 나타날 수 있다.
예	붉은 분꽃(RR)의 무리에서 돌연변이가 일어나 흰 분꽃(WW)이 나타났다.	붉은 분꽃(RR)과 흰 분꽃(WW) 사이에서 분홍 꽃(RW)이 나타났다.

(2) 다윈의 진화론

1) 자연 선택에 의한 기린의 진화

기린의 목이 길어지게 된 진화 과정	
변이	기린의 집단 내에는 목 길이가 다양한 개체들이 존재하였다.
생존 경쟁	한정된 먹이, 서식 공간을 두고 생존 경쟁이 일어났다.
자연 선택	지상의 먹이가 고갈되자 좀 더 높은 곳의 먹이를 먹을 수 있는 목이 긴 개체가 살아남아 목이 긴 형질을 자손에게 전달하였다.
진화	여러 세대가 지나면서 반복되어 긴 목을 갖는 기린으로 진화하였다.

▲ 다윈의 자연 선택설

2) 자연 선택에 의한 핀치새의 진화

크고 단단한 씨앗을 맺는 나무가 서식하는 섬에서 큰부리땅핀치의 진화 과정	
변이	부리 모양이 다양한 핀치 무리가 살고 있었다.
생존 경쟁	크고 단단한 씨앗에 대한 먹이 경쟁이 일어났다.
자연 선택	크고 단단한 씨앗을 잘 깨뜨릴 수 있는, 크고 두꺼운 부리를 가진 개체가 살아남아 형질을 자손에게 물려주었다.
진화	여러 세대가 지나면서 반복되어 오늘날 큰부리땅핀치로 진화하였다.

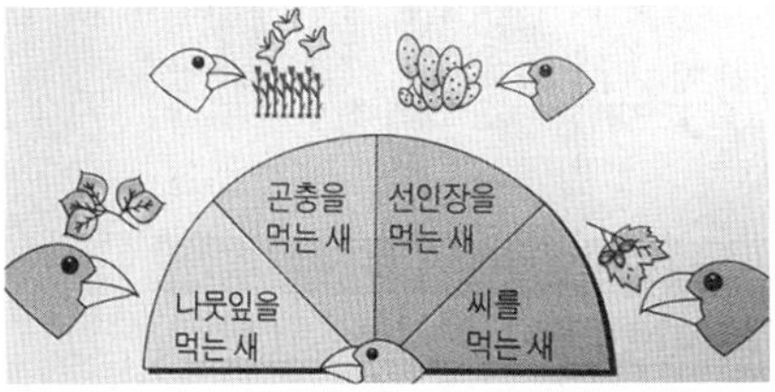

▲ 다양한 부리의 핀치새

3) 자연 선택에 의한 낫모양 적혈구의 진화

▲ 정상 적혈구

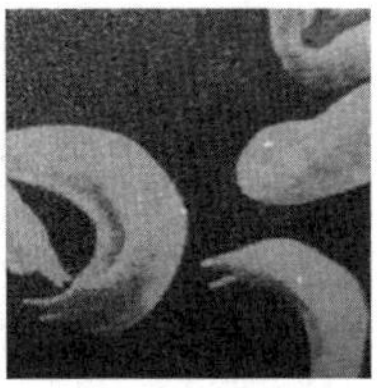

▲ 겸형 적혈구

낫모양 적혈구는 보통의 지역에서는 심한 빈혈 때문에 생존에 불리하지만, 말라리아가 발생하는 아프리카의 일부 지역에서는 낫모양 적혈구를 가진 사람이 말라리아에 저항성이 있어서, 오히려 생존에 유리하므로 자연 선택이 되어 인구 중 다수를 차지하게 되었다.

4) 자연 선택에 의한 항생제 내성 세균의 진화

세균 집단에서 변이가 발생하여 항생제 내성 세균이 나타나고, 지속적으로 항생제가 사용되는 환경에서 생존에 유리하므로, 자연 선택이 되어 점점 항생제 내성 세균의 비율이 높아지고 있다.

(3) 다양한 생물의 출현과 생명체의 출현 가설

1) 다양한 생물체의 출현과 진화

지구 환경의 변화는 자연 선택에 영향을 주므로, 다양한 생물 종을 형성시켰다.

2) 지구 생명체의 출현 가설

① 생명체의 출현 과정

무기물 → 간단한 유기물 → 복잡한 유기물 → 원시 세포 → 원시 생명체 → 진화

② 3가지 출현 가설

㉠ 화학 진화설 : 원시 대기에서 화학 반응에 의해 무기물로부터 간단한 유기물인 아미노산이 합성되면서 생명체 탄생이 시작되었다는 가설이다. 원시 대기 성분과 유사한 조건에서 수행한 밀러의 실험 결과에 의해 지지된다.

㉡ 심해 열수구설 : 심해 열수구에서 화학 반응이 일어나 유기물이 생성되었고, 이로 인해 생명체가 탄생했다는 가설이다. 열수구는 온도가 높아 에너지가 풍부하며, 다양한 물질이 존재한다는 사실에 의해 지지된다.

㉢ 외계 유입설 : 우주에서 만들어진 유기물이 운석을 통해 지구로 운반되어 시작되었다는 가설이다. 지구에 떨어진 운석에 아미노산 같은 유기물이 포함된 사실에 의해 지지된다.

02. 생물 다양성

(1) 생물 다양성

일정한 생태계에 존재하는 생물의 다양한 정도를 말하며, 유전적 다양성, 종 다양성, 생태계 다양성을 모두 포함하는 개념이다.

1) 유전적 다양성 : 같은 생물종이라도 형질을 결정하는 유전자의 다양한 정도를 말한다.

예 ① 터키 달팽이는 개체마다 껍데기의 무늬와 색이 다양하다.

② 채프먼얼룩말은 개체마다 털 줄무늬가 다양하다.

2) 종 다양성 : 어느 지역에 생물종이 얼마나 많이 고르게 분포하며 서식하는가를 말한다.

3) 생태계 다양성 : 어느 지역의 생태계(산림, 초원, 하천 등)의 다양한 정도를 말한다.

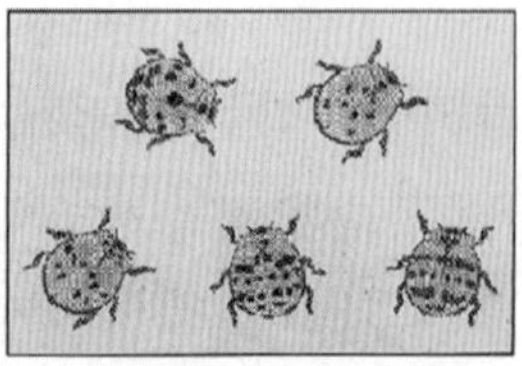

▲ 유전적 다양성

▲ 종 다양성

▲ 생태계 다양성

(2) 생물 다양성의 중요성과 생물 자원의 이용

1) 생물 다양성의 중요성

① 유전적 다양성의 중요성 : 유전적 다양성이 높은 집단은 개체들의 형질이 다양하므로, 환경 변화에 대한 적응력이 높아 멸종할 확률이 낮다.

예 현재 재배되는 식용 바나나는 '캐번디시' 라는 단일 품종으로, 유전적 다양성이 낮아 특정 곰팡이에 의한 질병으로 멸종 위기에 처해 있다.

② 종 다양성의 중요성 : 종 다양성이 높은 생태계는 먹이 사슬이 복잡하게 형성된다. 따라서 어느 한 종이 멸종되어도 생태계가 안정적으로 유지된다.

▶ 위험한 생태계

◀ 안정된 생태계

③ 생태계 다양성의 중요성 : 생태계 다양성이 높은 지역에는 다양한 환경 조건이 존재한다. 따라서 서로 다른 환경에 적응하여 다양한 종이 진화할 수 있으며, 그 결과 유전적 다양성과 종 다양성이 높아진다.

2) 생물 다양성과 생물 자원의 이용

자원의 종류	이용
식량	쌀, 보리, 옥수수, 콩 등의 식물과 소, 돼지, 닭 등의 동물
의복	목화, 누에고치 등
의약품	버드나무(아스피린), 푸른 곰팡이(페니실린), 주목나무(택솔)
목재	소나무, 참나무 등
유전자 자원	해충 저항성 유전자를 이용한 농작물 개발 등
관광 자원	국립공원, 수목원 등

(3) 생물 다양성의 감소 원인과 보전

1) 생물 다양성의 감소 원인

① 서식지 파괴 : 농지 확장, 삼림 벌채, 도시 개발, 습지 매립 등으로 생물의 서식지가 감소되거나 없어진다.

② 서식지 단편화 : 도로나 철도 건설 등으로 대규모의 서식지가 소규모로 분할된다.

③ 불법 포획과 남획 : 불법 포획과 남획으로 특정 생물종이 멸종되거나 개체수가 감소될 수 있다.(아프리카 코끼리, 호랑이, 늑대, 여우)

④ 외래종 도입 : 외래종은 천적이 없으면 대량 번식할 수 있어 고유종의 생존을 위협한다.(배스, 가시박)

⑤ 환경 오염 : 농약, 생활하수, 공장 폐수, 화석 연료 사용에 의한 배기 가스(산성비) 등으로 인해 생물 다양성이 감소한다.

2) 생물 다양성의 보전 방안

① 사회적 : 에너지 절약, 자원 재활용, 친환경 저탄소 제품의 사용

② 국가적 : 서식지 보전, 단편화된 서식지 연결(생태 통로), 멸종 위기 종의 보전, 국립공원 지정, 종자 은행을 통한 복원사업

③ 국제적 : 각종 협약을 체결해 생물 다양성을 보전한다.(생물 다양성 협약, 람사르 협약, 런던 협약 등)

12 생태계와 환경

01. 생태계의 구성과 환경

(1) 생태계의 구성

1) **생태계** : 생물과 환경이 서로 상호 작용하며 유지되는 체계

① 개체 : 독립된 하나의 생명체

② 개체군 : 동일한 종의 개체들로 이루어진 집단

③ 군집 : 여러 개체군이 서로 관계를 맺고 살아가는 집단

▲ 생태계

2) **생태계 구성 요인**

① 생물적 요인 : 생산자, 소비자, 분해자 등 모든 생물을 말한다.

㉠ 생산자 : 태양의 빛 에너지를 이용하여 유기물을 합성하는 생물

예 녹색식물, 해조류, 식물성 플랑크톤

㉡ 소비자 : 다른 생물을 먹이로 섭취해 양분을 얻는 생물

예 초식 동물(1차 소비자), 육식 동물(2, 3차 소비자)

㉢ 분해자 : 생물의 사체나 배설물을 분해하여 에너지를 얻는 생물

예 세균, 버섯, 곰팡이

② 비생물적 요인 : 환경 요인으로 빛, 토양, 물, 공기, 온도 등이 있다.

3) **생태계 구성 요소 간의 관계**

① 작용 : 비생물 요소가 생물 요소에 영향을 주는 것

- 기온이 낮아지면 은행잎이 노래진다.
- 토양에 양분이 풍부해지면 식물이 잘 자란다.

② 반작용 : 생물 요소가 비생물 요소에 영향을 주는 것
- 지렁이가 토양의 통기성을 높인다.
- 낙엽이 쌓여 토양이 비옥해진다.

③ 상호 작용 : 생물과 생물 사이에 영향을 주고받는 것
- 스라소니 수가 증가하면 토끼 수가 감소한다.
- 개구리의 수가 증가하면 메뚜기 수가 감소한다.

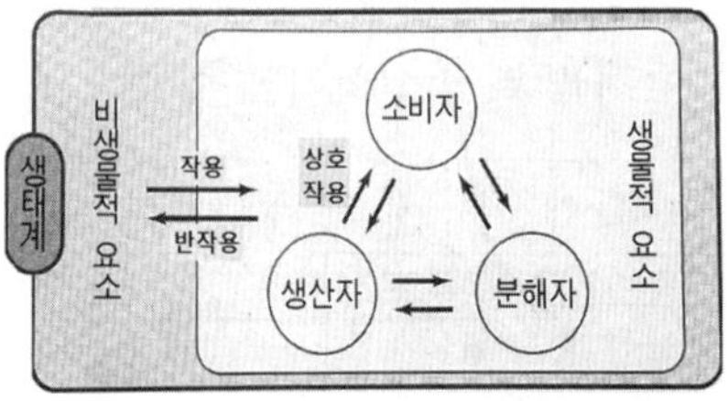

◀ 생태계 구성 요소 간의 관계

(2) 생물과 환경의 상호 작용

1) 빛과 생물

① 빛 세기와 생물 : 강한 빛을 받는 잎은 울타리 조직이 발달해 잎이 두껍고 좁은 반면, 약한 빛을 받는 잎은 빛을 효율적으로 흡수하기 위해 잎이 얇고 넓다.

② 빛 파장과 생물 : 물의 깊이에 따라 빛의 파장이 다르게 도달하기 때문이다.
- 얕은 곳에는 파장이 긴 적색광을 주로 이용하는 녹조류가 분포한다.
- 깊은 곳에는 파장이 짧은 청색광을 이용하는 홍조류가 많이 분포한다.

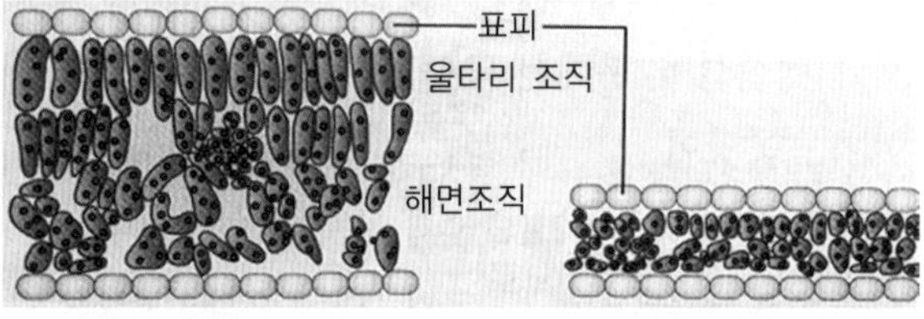

▲ 강한 빛을 받는 잎
▲ 약한 빛을 받는 잎

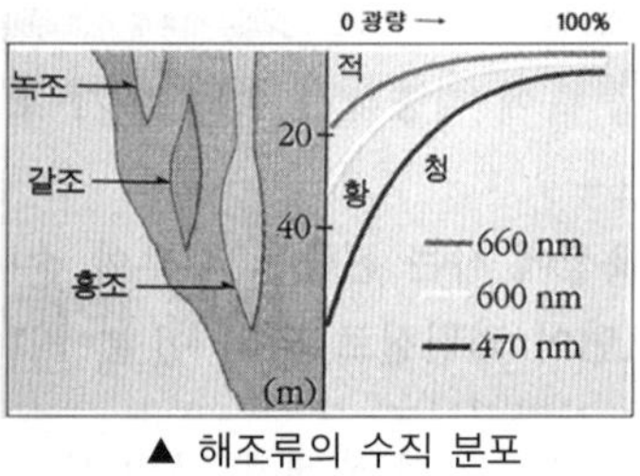

▲ 해조류의 수직 분포

③ 일조 시간과 생물 : 일조 시간도 동물의 생식과 식물의 개화에 영향을 준다.

㉠ 꾀꼬리와 종달새는 일조 시간이 길어지는 봄에 번식하고, 송어와 노루는 일조 시간이 짧아지는 가을에 번식한다.

㉡ 붓꽃은 일조 시간이 길어지는 봄과 초여름에 꽃이 피고, 코스모스는 일조 시간이 짧아지는 가을에 꽃이 핀다.

2) 온도와 생물

① 동물의 적응

㉠ 개구리 같은 변온 동물(양서류, 파충류)은 물질대사가 원활하지 않아 겨울잠을 잔다.

㉡ 곰과 같은 일부 정온 동물은 먹이가 부족한 겨울에 에너지 소모를 줄이려고 겨울잠을 잔다.

㉢ 추운 지방에 사는 정온 동물은 깃털이나 털이 발달되어 있고, 피하 지방층이 두꺼워 몸의 열 방출을 막는다.

㉣ 포유류는 서식지에 따라 몸집의 크기와 귀와 같은 몸 말단부의 크기가 다르다.

㉤ 일부 동물은 계절에 따라 몸의 크기, 형태, 색이 달라지는 계절형이 존재한다.

북극여우(한대)　　붉은여우(온대)　　사막여우(열대)

② 식물의 적응

㉠ 툰드라에 사는 털송이풀은 잎이나 꽃에 털이 있어 체온이 낮아지는 것을 막는다.

㉡ 낙엽수는 겨울의 추위를 견디기 위해 단풍이 들고 잎을 떨구지만, 상록수는 잎의 큐티클층이 두꺼워 잎을 떨구지 않고 겨울을 난다.

3) 물과 생물

① 동물의 적응

㉠ 곤충은 몸 표면이 키틴질로, 파충류는 비늘로 덮여 있어 수분 손실을 막는다.

㉡ 조류와 파충류의 알은 단단한 껍질로 쌓여 수분 손실을 막는다.

② 식물의 적응

㉠ 육상 식물은 뿌리, 줄기, 잎이 발달해 있지만, 수련같이 물속에서 사는 식물은 관다발이나 뿌리가 발달하지 않았다.

㉡ 건조 지역의 식물은 저수 조직이 발달해 있고, 잎이 가시로 변해 수분 증발을 막는다.

4) 토양과 생물

① 지렁이, 두더지 등은 토양을 돌아다니며 통기성을 높여, 산소가 필요한 식물이 나 미생물에 좋은 환경을 제공한다.

② 토양 속 미생물은 동식물의 사체나 배설물을 분해하여 다른 생물에게 양분을 제 공하거나 비생물 환경으로 돌려보낸다.

③ 식충 식물은 토양에 부족한 질소를 얻기 위해 곤충을 잡는다.

5) 공기와 생물

① 연꽃은 호흡을 돕기 위해 줄기에 공기가 흐르는 조직이 있다.

② 산소 호흡 세균은 공기가 많은 토양에, 무산소 호흡 세균은 공기가 적게 포함된 토양에 서식한다.

02. 생태계 평형

(1) 생태계 평형의 유지

1) 생태계 평형 : 생태계를 구성하는 생물의 종류와 개체수, 물질의 양, 에너지의 흐름이 일정하게 유지되는 안정된 생태계를 말한다.

2) 먹이 사슬에 의한 생태계 평형의 유지

① 생태계 평형이 유지되려면 생태계 구성 요소인 생물 군집이 유지되어야 한다.

② 생물 군집의 생존에는 에너지가 필요한데, 이는 생산자의 광합성에 의해 저장된 유기물이 먹이 관계에 의해 한 영양 단계에서 다음의 영양 단계로 전달되므로 가능해진다.

→ 먹이 관계는 생태계 평형을 유지하는 데 있어서 매우 중요하다.

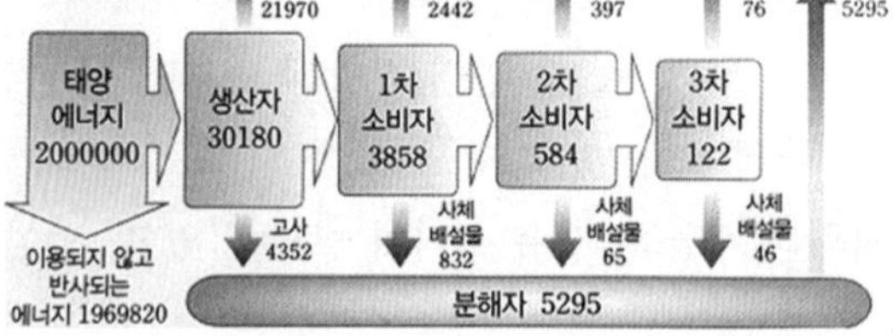

3) 생태 피라미드

① 먹이 관계에 의해 에너지가 전달될 때 한 영양 단계의 에너지 중 일부만이 다음 영양 단계로 이동하기 때문에 평형을 이룬 안정한 생태계에서 에너지양은 상위 영양 단계로 갈수록 감소하는 피라미드 형태가 된다.

② 일반적으로 안정한 생태계는 에너지 양 뿐만 아니라 개체수, 생물량도 상위 영양 단계로 갈수록 감소하는 피라미드 형태를 나타낸다.

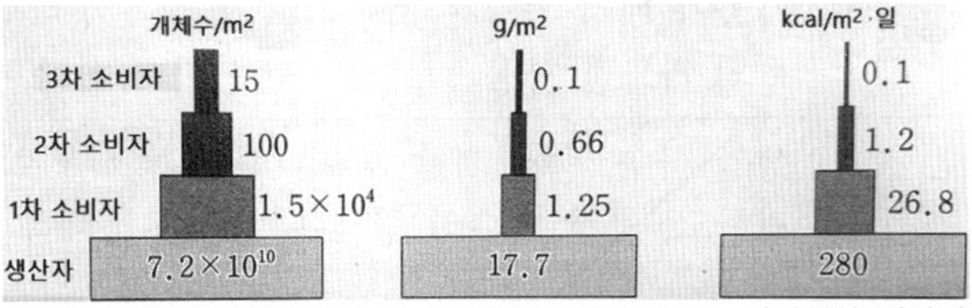

▲ 개체수 피라미드 ▲ 생체량 피라미드 ▲ 에너지양 피라미드

4) 생태계 평형의 회복

→ 안정된 생태계는 환경이 변해 일시적으로 평형이 깨지더라도 시간이 지나면 먹이 사슬에 의해 대부분 생태계 평형이 회복된다.

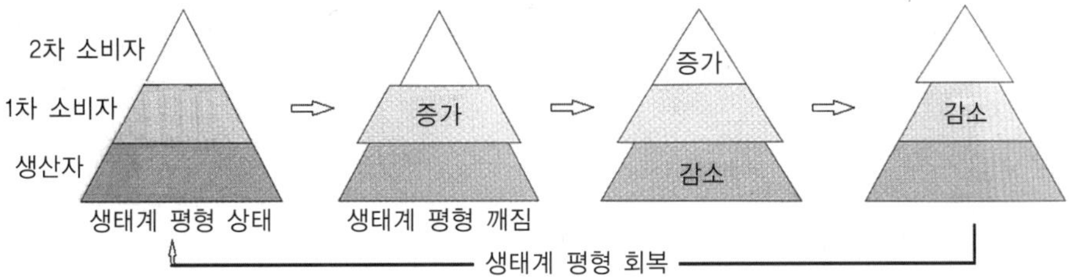

(2) 환경 변화와 생태계

1) 생태계 평형을 깨뜨리는 환경 변화 요인

① 자연재해 : 홍수, 산사태, 지진, 화산 폭발, 산불 등에 의해 서식지가 사라지면 먹이 그물에 변화가 생겨 생태계 평형이 깨지게 된다.

② 인간의 활동 : 인구의 증가와 도시화 등으로 인한 무분별한 개발이나 환경오염은 생태계 평형을 깨뜨릴 수 있다.

무분별한 벌목	숲의 생태계를 파괴하고, 토양이 쉽게 침식되게 한다.
경작지 개발	식량 생산을 위해 숲이나 평원을 경작지로 개발할 경우, 서식지가 사라지고, 생태계가 단순해진다.
도시화	도시와 도로 건설 등으로 생물 서식지가 파괴되고 분리된다. 무질서한 건축으로 공기가 순환하지 못해 오염 물질이 쌓이고 기온이 높아지는 열섬 현상이 나타난다.
대기 오염	자동차 배기 가스는 호흡기 질환과 산성비의 원인이 되고, 화석 연료의 과도한 사용으로 지구 온난화가 심화된다.
수질 오염	생활 하수, 축산 폐수 등이 적조, 녹조를 일으켜 해양 생태계를 파괴하고, 공장 폐수의 중금속은 생물 농축을 일으킨다.

2) 생태계 보전을 위한 노력

① 멸종 위기에 처한 생물을 천연 기념물로 지정한다.

② 도로나 댐 건설 등으로 나누어진 서식지를 생태 통로로 연결한다.

③ 생물의 서식 환경이 훼손된 하천을 생태 하천 복원 사업으로 회복시킨다.

④ 생물 다양성이 풍부하여 보전 가치가 있는 곳을 국립공원으로 지정하여 보호한다.

⑤ 도시의 열섬 현상을 완화하기 위해 옥상 정원을 설치하고, 도시 중심부에 숲을 조성한다.

⑥ 무분별한 개발을 제도적으로 규제하기 위한 환경 관련 법률을 제정한다.

13 지구 환경 변화

01. 기후 변화와 온난화

(1) 기후 변화

1) 일기(기상)와 기후

① 일기(날씨) : 어느 지역에 매일 나타나는 기온, 강수량, 바람과 같은 대기의 상태

② 기후 : 어떤 지역에 장시간에 걸쳐 나타나는 평균적인 대기의 상태

2) 과거의 기후 조사 방법

① 빙하 코어 연구 : 빙하 속에 갇힌 공기와 산소 동위 원소비($^{18}O/^{16}O$) 조사

② 나무의 나이테 연구 : 기온이 높고 강수량이 많으면 나이테 간격이 넓다.

③ 화석 연구 : 과거 생물의 화석을 통해 기후를 알 수 있다.

④ 지층의 퇴적물 연구 : 퇴적물 속의 꽃가루 및 미생물을 통해 기후를 알 수 있다.

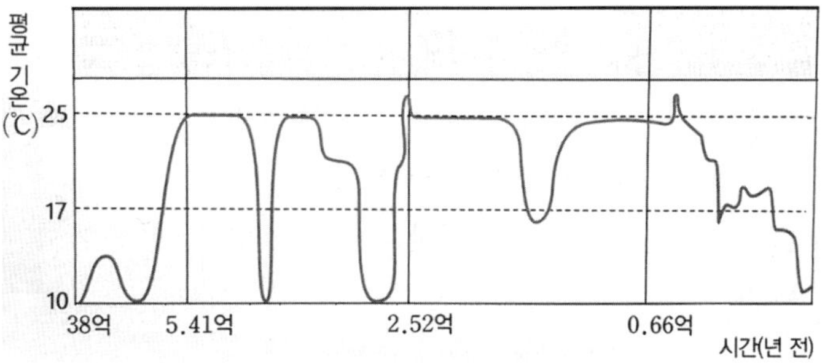

3) 기후 변화의 원인

① 외적 요인 : 태양 활동의 변화, 자전축 기울기의 변화, 자전축 경사 방향의 변화, 지구 공전 궤도 모양의 변화 등

② 내적 요인 : 화산 분출에 의한 대기 투과율 변화, 수륙 분포에 따른 해류의 변화, 빙하의 면적, 산림 파괴, 댐 건설 등에 따른 지표면의 반사율 변화, 인간 활동에 의한 대기 중 이산화탄소 농도의 변화(온난화) 등

(2) 온실 효과와 지구 온난화

1) 온실 효과 : 지구 대기는 주로 가시광선 영역인 태양 복사는 잘 통과시키지만, 지구가 방출하는 적외선 영역인 지구 복사는 일부를 흡수하였다가 지표로 재복사하여 지표면의 온도를 상승시키는데 이를 온실 효과라 한다.

① 온실 기체 : 이산화탄소, 메테인, 수증기, 오존 등

② 온실 효과에 가장 큰 영향을 주는 기체 : 이산화탄소(CO_2)

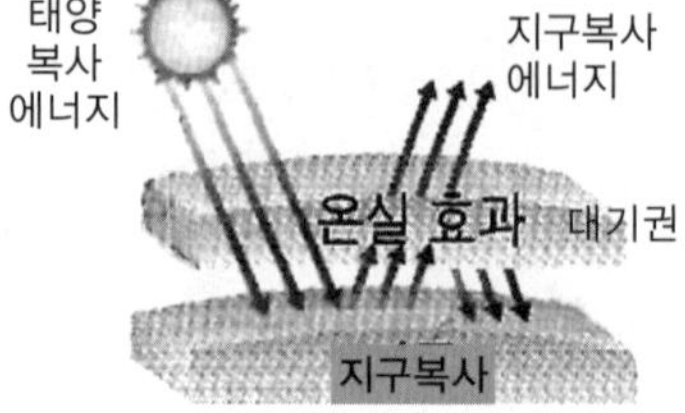

2) **지구 온난화** : 대기에 온실 기체의 양 증가로 온실 효과가 증대되는 현상이다.

① 지구 온난화의 가장 큰 원인 : 화석 연료 사용 증가에 따른 이산화탄소의 증가

② 지구 온난화의 영향 : 빙하의 융해, 해수면 상승, 저지대 침수, 육지 면적 감소, 강수량과 식생 분포 변화, 사막 증가, 이상 기후, 생태계 변화, 생물 다양성 감소, 질병의 증가

③ 지구 온난화 방지 대책 : 화석 연료 사용 억제, 신 · 재생에너지 개발, CO_2 처리 방법 연구, 에너지 절약, 저탄소 녹색성장 정책, 산림 보호 및 산림 면적 확대, 국가 간 협력, 유엔기후변화협약(UNFCCC)

④ 한반도의 지구 온난화 : 동식물의 서식지 변화, 봄꽃 개화 시기 변화, 계절 길이 변화 등

(3) 대기와 해수의 순환

1) **지구의 복사 평형**

① 지구는 각 지역별로 흡수하고 방출하는 에너지가 다르다.

② 그러나 전체적으로는 복사 평형을 이루어 지구의 평균 기온은 일정하게 유지되고 있다.

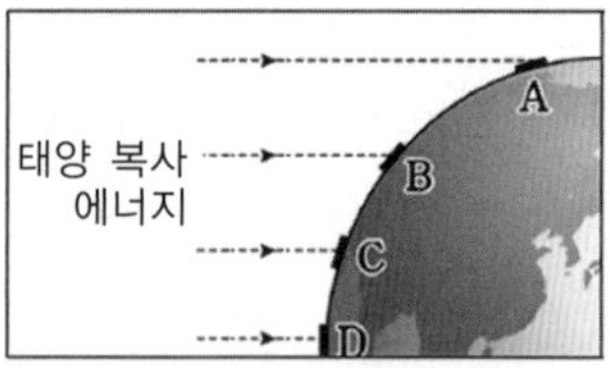

2) **위도별 에너지 불균형**

위도	태양 복사 에너지와 지구 복사 에너지 비교	에너지 상태
저위도	태양 복사 에너지양 〉 지구 복사 에너지양	과잉
고위도	태양 복사 에너지양 〈 지구 복사 에너지양	부족

※ 대기와 해수의 순환 : 저위도의 남는 에너지를 고위도로 운반하는 역할을 한다.

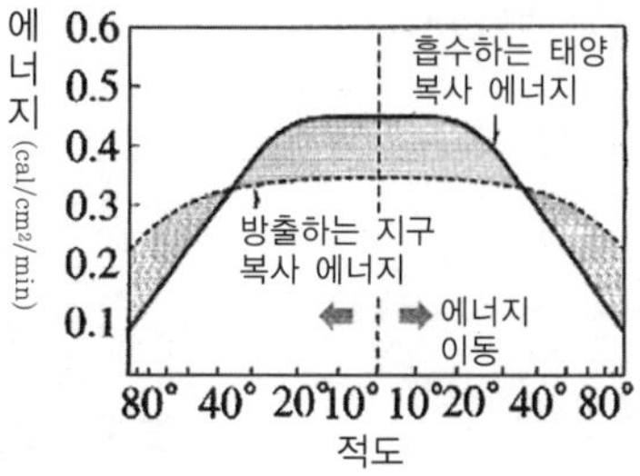

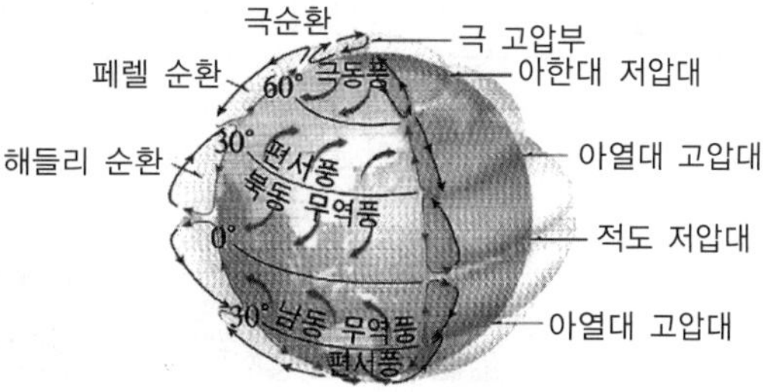

3) **대기 대순환** : 고위도와 저위도의 에너지 불균형에 의해 대기 대순환이 발생한다.

① 해들리 순환 : 위도 0°~30°, 무역풍 형성

② 페렐 순환 : 위도 30°~60°, 편서풍 형성

③ 극순환 : 위도 60°~90°, 극동풍 형성

4) **해수의 순환** : 해수면에 지속적으로 부는 바람 때문이다.

① 해류의 종류

㉠ 무역풍대 해류 : 북적도 해류, 남적도 해류

㉡ 편서풍대 해류 : 북태평양 해류, 남극 순환류

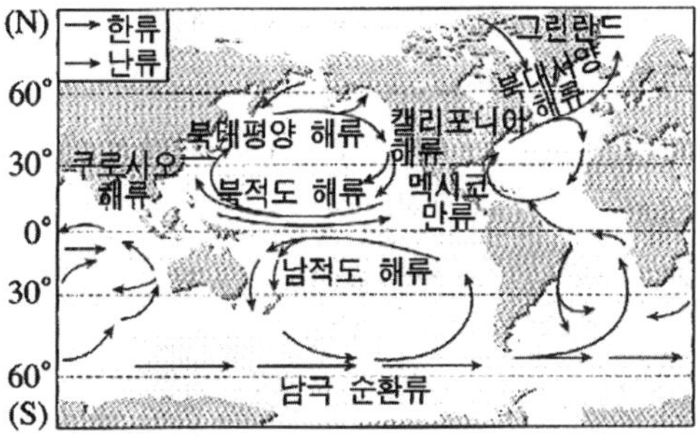

② 순환의 방향 : 북반구는 시계 방향, 남반구는 반시계 방향

③ 난류와 한류

구분	이동 방향	종류	수온	염분	산소
난류	저위도 → 고위도	쿠로시오 해류	높다	높다	적다
한류	고위도 → 저위도	캘리포니아 해류	낮다	낮다	많다

(4) 엘니뇨와 라니냐

구분	평상시	엘니뇨 발생시	라니냐 발생시
상태	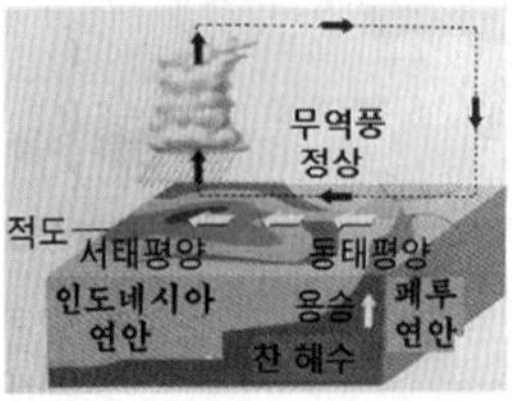	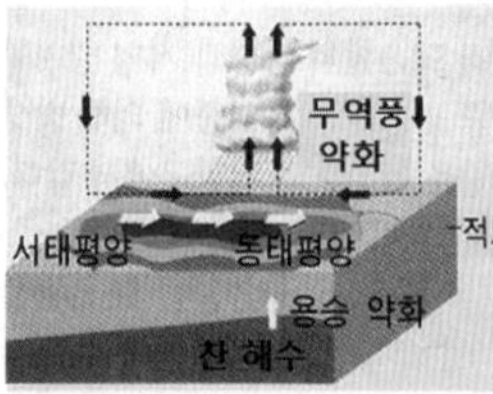	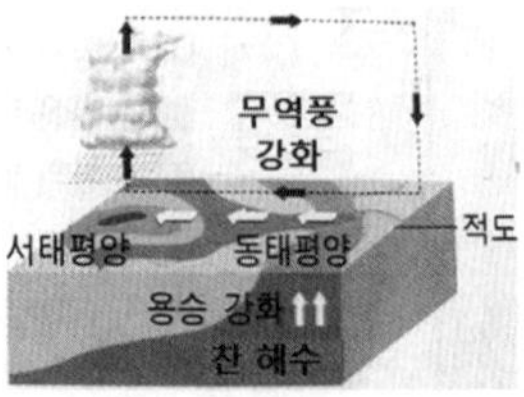
무역풍	정상	약함	강함
서태평양	표층 수온 높아 상승기류 발달, 강수량 증가	표층 수온 낮아 상승기류 약화, 가뭄 발생	표층 수온 매우 상승, 홍수, 폭우 발생
동태평양	찬 해수의 용승, 표층 수온 감소, 좋은 어장 형성	찬 해수의 용승 감소, 표층 수온 상승, 어획량 감소, 홍수 발생	찬 해수의 용승 강화, 표층 수온 강하, 냉해 피해, 가뭄 발생

(5) 사막화

- 기후 변동이나 인간 활동으로 사막(30° 위도)이 넓어지고 새로운 사막이 증가하는 현상

1) 원인

① 자연적 원인 : 지구 온난화에 따른 대기 대순환의 변화로 강수량이 감소할 때

② 인위적인 원인 : 과잉 경작, 과잉 방목, 무분별한 산림 벌채, 화전, 지구 온난화 등

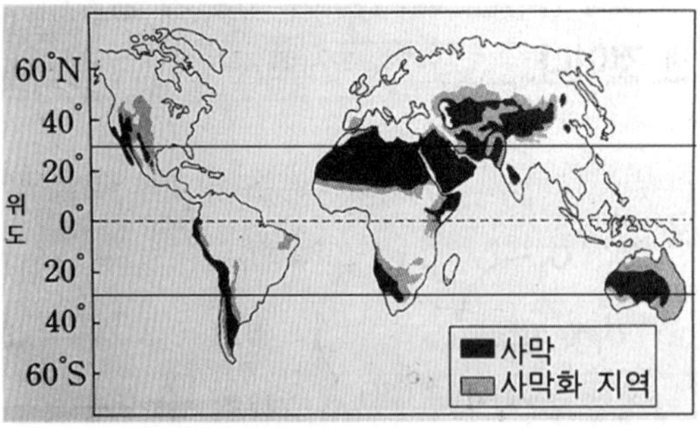

2) 피해와 대책

① 피해 : 황사 발생 증가, 작물 수확량 감소, 식량 부족, 생태계 파괴 등

② 대책 : 산림 면적 증대, 산림 벌채 최소화, 과잉 방목 줄이기, 토양 비옥화 추진 등

1. 다음은 유전적 변이의 원인을 설명한 것이다.
(가)와 (나)에 들어갈 말을 순서대로 옳게 배열한 것은?

> 변이의 원인 중 (가)은/는 유전 물질(DNA)에 변화가 일어나 부모에 없던 형질이 자손에 나타나는 현상이고, (나)은/는 암수의 생식세포 수정으로 다양한 형질의 자손이 만들어지는 방법이다.

① 진화, 자연선택
② 자연 선택, 돌연변이
③ 돌연변이, 유성 생식
④ 획득 형질, 유성 생식

2. 다음 그림은 기린의 목이 길어지게 된 원인을 설명하는 어떤 진화론이다.

이에 대한 설명으로 옳은 것을 〈보기〉에서 모두 고른 것은?

〈보기〉

ㄱ. 다윈의 자연 선택설이다.
ㄴ. (가) 과정에서 개체 간에 생존 경쟁이 일어난다.
ㄷ. (나) 과정에서 목이 긴 기린의 유전자가 자손에게 전달된다.

① ㄱ, ㄴ
② ㄴ, ㄷ
③ ㄱ, ㄷ
④ ㄱ, ㄴ, ㄷ

3. 다음은 핀치새의 진화 과정의 단계 (가)와 (나)를 나타낸 것이다.
(가)와 (나)에 해당하는 단계를 순서대로 옳게 배열한 것을 고르면?

단계	일어난 현상
(가)	부리 모양이 다양한 핀치 무리가 살고 있었다.
(나)	크고 단단한 씨앗을 잘 깨뜨릴 수 있는 부리를 가진 개체가 형질을 자손에게 물려주었다.

① 변이, 생존 경쟁　② 생존 경쟁, 자연 선택
③ 생존 경쟁, 변이　④ 변이, 자연 선택

4. 다음에서 설명하는 것은 생물 다양성의 어느 요소에 해당하는가?

· 터키 달팽이는 개체마다 껍데기의 무늬와 색이 다양하다.
· 채프먼얼룩말은 개체마다 털 줄무늬가 다양하다.
· 무당벌레 종에서 반점의 무늬가 다양하다.

① 생태계 다양성　② 종 다양성
③ 유전적 다양성　④ 환경 다양성

5. 다음 그림은 생물 다양성의 구성 요소를 나타낸 것이다.
(가)~(다)는 종 다양성, 생태계 다양성, 유전적 다양성 중 하나이다.

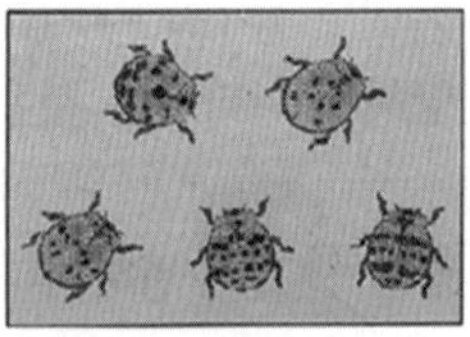
(가)

(나)

(다)

이에 대한 설명으로 옳지 않은 것은?

① (가)는 유전적 다양성이다.
② (가)가 높을수록 환경 변화에 대한 적응력이 높다.
③ 새로운 종이 출현할수록 (나)가 높아진다.
④ (다)는 생태계 다양성으로 생물 종의 다양함을 말한다.

6. 다음 중 (가)~(다)에 들어갈 말을 순서대로 옳게 배열한 것은?

· 생태계에서 (가)은/는 광합성을 통해 스스로 양분을 만든다.
· (나)은/는 생물의 사체와 배설물로부터 에너지를 얻는다.
· (다)은/는 다른 생물을 먹이로 섭취하여 에너지를 얻는다.

	(가)	(나)	(다)
①	생산자	소비자	분해자
②	소비자	분해자	생산자
③	분해자	생산자	소비자
④	생산자	분해자	소비자

7. 다음은 생태계를 구성하는 집단 (가)와 (나)에 대한 설명이다. (가)와 (나)는 각각 군집과 개체군 중 하나이다.

생태계에서 (가)은/는 한 지역에서 같이 생활하는 동일한 종의 개체들로 이루어진 집단이고, (나)은/는 여러 개체군이 서로 관계를 맺고 살아가는 집단이다.

이에 대한 설명으로 옳은 것을 〈보기〉에서 모두 고른 것은?

〈보기〉

ㄱ. (가)는 군집이다.
ㄴ. (나)에서 종 다양성이 나타난다.
ㄷ. (나)는 생산자, 소비자, 분해자가 모인 집단이다.

① ㄱ, ㄴ
② ㄴ, ㄷ
③ ㄱ, ㄷ
④ ㄱ, ㄴ, ㄷ

8. 다음의 상호 작용 중에서 생물이 환경에 영향을 미치는 반작용이 아닌 것은?

① 기온이 낮아지면 은행잎이 노래진다.
② 지렁이가 토양의 통기성을 높인다.
③ 낙엽이 쌓여 토양이 비옥해진다.
④ 식물이 광합성을 하면 공기 중의 산소량이 증가한다.

9. 다음 그림 (가)와 (나)는 동일한 나무의 서로 다른 잎의 단면을 나타낸 것이다.

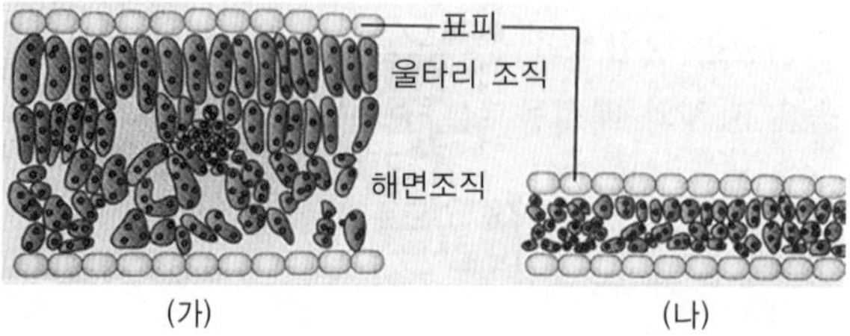

이와 같은 적응 현상에 영향을 미치는 환경 요인은?

① 온도 ② 물 ③ 빛 세기 ④ 빛 파장

10. 다음 그림은 위도가 서로 다른 세 지역에 서식하는 여우의 모습이다.

이와 같은 적응 현상과 관계있는 동일한 예를 고른 것은?

① 개구리 같은 변온 동물은 겨울잠을 잔다.
② 사막의 선인장은 잎이 가시로 변했다.
③ 바다 깊이에 따라 서로 다른 생물이 서식한다.
④ 파충류의 몸 표면은 비늘로 덮여 있다.

11. 평형을 이루던 생태계에서 1차 소비자의 개체수가 갑자기 증가했을 때, 나타나는 현상으로 다음 설명 중 옳은 것은?

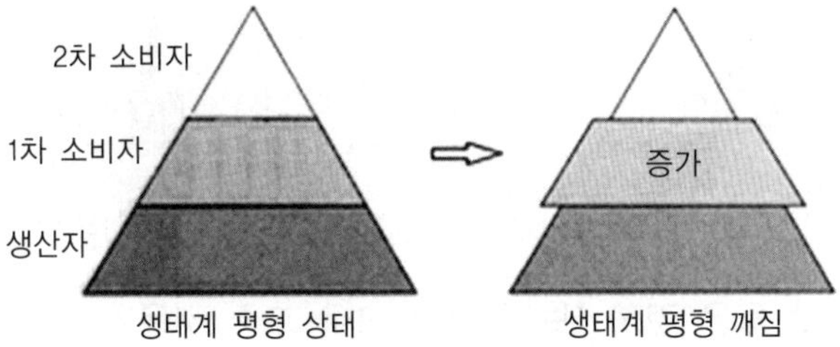

① 생산자의 개체수가 증가한다.
② 분해자와 2차 소비자의 수가 감소한다.
③ 생산자는 감소하고, 2차 소비자는 증가한다.
④ 1차 소비자를 제외한 모든 생물 수가 증가한다.

12. 다음 그림의 (가)와 (나)는 어느 생태계의 먹이 관계를 나타낸 것이다

이에 대한 설명으로 옳은 것을 〈보기〉에서 모두 고른 것은?

〈보기〉

ㄱ. (가)생태계가 (나)생태계보다 더 안정하다.
ㄴ. (가)보다 (나)에서 생물 다양성이 높다.
ㄷ. 수리부엉이는 두 생태계에서 최종 소비자이다.

① ㄱ, ㄴ　② ㄴ, ㄷ　③ ㄱ, ㄷ　④ ㄱ, ㄴ, ㄷ

13. 다음 그림은 평형을 이룬 생태계의 생태 피라미드를 나타낸 것이다.

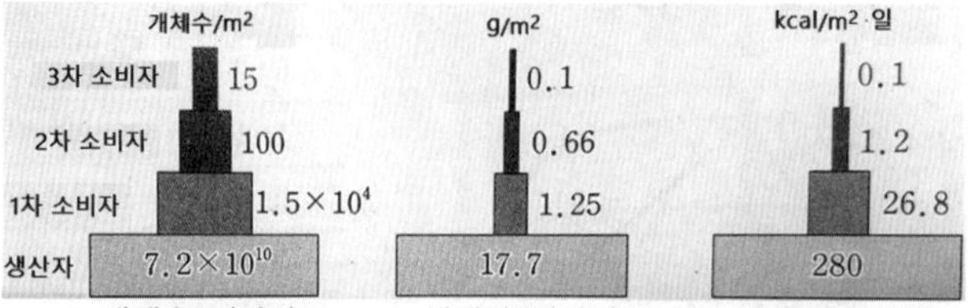

▲ 개체수 피라미드 ▲ 생체량 피라미드 ▲ 에너지양 피라미드

이에 대한 설명으로 옳은 것을 〈보기〉에서 모두 고른 것은?

〈보기〉

ㄱ. 생산자는 광합성을 통해 유기물을 합성한다.
ㄴ. 에너지양은 상위 영양 단계로 갈수록 감소하는 피라미드 형태가 된다.
ㄷ. 안정한 생태계는 개체수, 생물량이 상위 영양 단계로 갈수록 감소하는 피라미드 형태를 나타낸다.

① ㄱ, ㄴ ② ㄴ, ㄷ
③ ㄱ, ㄷ ④ ㄱ, ㄴ, ㄷ

14. 다음은 지구의 기후 변화의 원인을 나타낸 것이다.

기후 변화	외적 요인	태양 활동의 변화, (가)
	내적 원인	화산 분출로 대기 투과율 변화, (나)

추가로 (가)와 (나)에 들어갈 수 있는 요인으로 옳은 것은?

	(가)	(나)
①	자전축 경사 방향의 변화	지구 공전 궤도 모양의 변화
②	수륙 분포의 변화	빙하의 면적 변화
③	자전축 경사 방향의 변화	댐 건설로 지표면 반사율 변화
④	이산화탄소 농도 변화	자전축 경사 방향의 변화

15. 다음 중 과거 지구의 기후 변화를 연구하는 방법으로 옳지 <u>않은</u> 것은?

① 빙하 속의 공기 방울을 조사한다.
② 나무의 나이테를 조사한다.
③ 지층의 퇴적물과 화석을 조사한다.
④ 숲속에 서식하는 생물 군집을 조사한다.

16. 다음 설명과 가장 관계가 깊은 것은?

> · 대기가 지구 복사 에너지를 흡수한 후 지표면으로 재방출하기 때문에 일어난다.
> · 주로 이산화탄소, 수증기 등에 의해 일어난다.

① 엘니뇨 ② 온실 효과 ③ 오존층 파괴 ④ 라니냐

17. 다음 설명에 해당하는 것은?

> · 대기 중 온실 기체의 양이 증가하여 지구의 평균 기온이 올라가는 현상이다.
> · 이 현상으로 대륙의 빙하가 녹으면서 해수면이 상승할 수 있다.

① 온실 효과 ② 산성비 ③ 엘니뇨 ④ 지구 온난화

18. 다음에서 설명하는 지구 온난화에 영향을 주는 물질은?

> · 화석 연료가 연소할 때 많이 발생한다.
> · 지구의 평균 기온을 높이는 데 가장 큰 영향을 준다.

① 수소 ② 질소 ③ 이산화탄소 ④ 산소

19. 다음 중 지구 온난화로 인해 나타나는 현상이 <u>아닌</u> 것은?

① 육지 면적의 증가 ② 해안 저지대의 침수
③ 사막 지역의 확대 ④ 해수면의 상승

20. 다음 중 지구 온난화를 방지하기 위한 대책으로 적당하지 <u>않은</u> 것은?

① 화석 연료 사용 억제 ② 삼림 지역 확대
③ 천연가스 사용 권장 ④ 대체 에너지 개발

21. 오른쪽 그림은 지표면이 받는 태양 에너지의 양을 나타낸 것이다.
이에 대한 설명으로 옳은 것을 〈보기〉에서 모두 고른 것은?

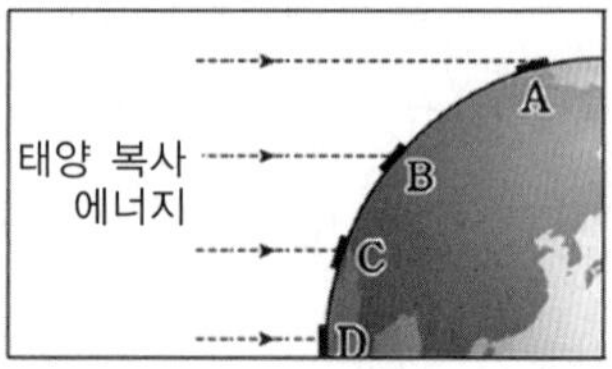

〈보기〉

ㄱ. A는 가장 적은 태양 에너지를 받는다.
ㄴ. D지역은 에너지 과잉, A지역은 에너지 부족이다.
ㄷ. D지역의 과잉 에너지는 A지역의 고위도로 이동한다.

① ㄱ, ㄴ ② ㄴ, ㄷ ③ ㄱ, ㄷ ④ ㄱ, ㄴ, ㄷ

22. 다음 그림은 북반구 표층 해류 순환의 일부를 나타낸 것이다.

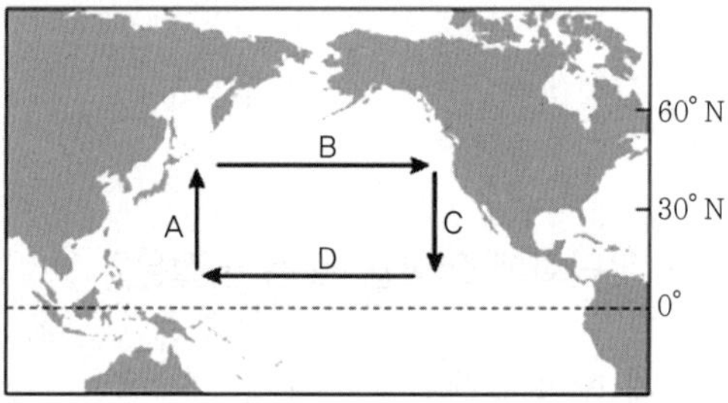

이에 대한 설명으로 옳은 것을 〈보기〉에서 모두 고른 것은?

〈보기〉

ㄱ. A는 난류이고, C는 한류이다.
ㄴ. B는 편서풍에 의해, D는 무역풍에 의해 형성된 해류이다.
ㄷ. 해류는 북반구에서 반시계 방향으로 순환한다.

① ㄱ, ㄴ ② ㄴ, ㄷ ③ ㄱ, ㄷ ④ ㄱ, ㄴ, ㄷ

23. 오른쪽 그림은 지구 대기 대순환 모형이다. 설명으로 옳은 것은?

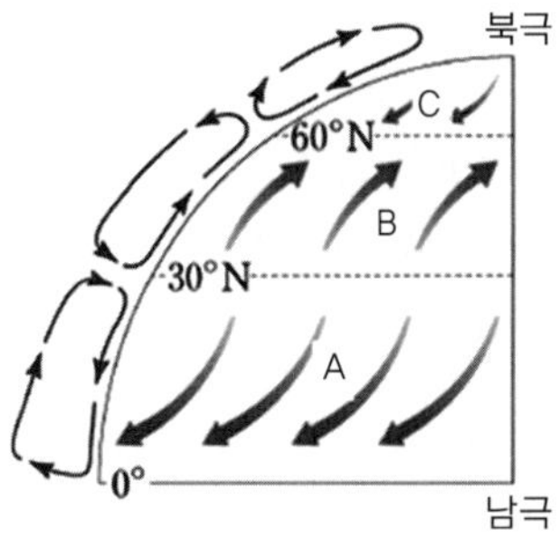

① 적도의 지표 부근에서는 공기가 주로 하강한다.
② 북위 0°~30° 사이에서는 편서풍이 분다.
③ 북위 30°~60° 사이에서는 북동 무역풍이 분다.
④ 대기 대순환과 해수의 순환은 위도별 에너지 불균형을 해소하는 역할을 한다.

24. 다음에서 설명하는 기상이변 현상은?

· 무역풍의 약화가 원인이다.
· 동태평양 해역의 수온이 높아지는 경우이다.
· 호주 등의 아시아는 가뭄 피해가 발생한다.

① 라니냐 ② 온실 효과 ③ 엘니뇨 ④ 태풍

25. 다음 설명에 해당하는 현상은?

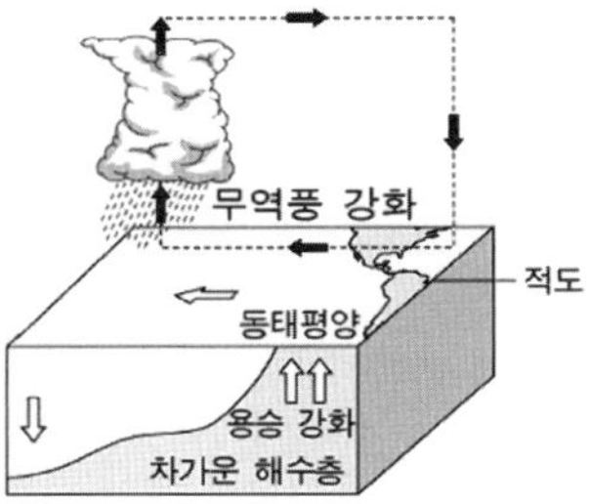

· 적도 부근 동태평양 연안의 수온이 평소보다 감소하는 현상이다.
· 무역풍의 강화로 차가운 해수의 용승이 활발해진다.

① 황사 ② 라니냐
③ 온난화 ④ 엘니뇨

06

14. 에너지의 효율적 이용
15. 전기 에너지의 생산과 수송
16. 발전과 신재생 에너지

14 에너지의 효율적 이용

01. 에너지 전환과 보존

(1) 여러 가지 형태의 에너지

1) 에너지의 종류

① 퍼텐셜 에너지 : 높은 곳에 있는 물체가 가지는 에너지

② 운동 에너지 : 운동하는 물체가 가지는 에너지

③ 역학적 에너지 = 퍼텐셜 에너지 + 운동 에너지 = 일정

④ 화학 에너지, 전기 에너지, 핵에너지, 열에너지, 빛에너지, 파동 에너지 등

2) 에너지의 전환

전 등	전기 E → 빛 E	전열기	전기 E → 열 E
전동기	전기 E → 역학적(운동) E	TV	전기 E → 빛 E, 소리 E
라디오	전기 E → 소리 E	발전기	역학적(운동) E → 전기 E
건전지	화학 E → 전기 E	태양전지	빛 E → 전기 E
광합성	빛 E → 화학 E	반딧불이	화학 E → 빛 E
자동차	화학 E → 역학적(운동) E	연소	화학 E → 열 E, 빛 E

3) 휴대 전화의 에너지 전환

배터리 충전	전기 E → 화학 E	배터리 사용	화학 E → 전기 E
화면(손전등)	전기 E → 빛 E	스피커	전기 E → 소리 E
진동	전기 E → 역학적(운동) E	발열	전기 E → 열 E

(2) 에너지 보존의 법칙과 에너지 절약

1) **에너지 보존의 법칙** : 한 에너지가 다른 형태의 에너지로 전환되더라도 에너지는 새로 생기거나 없어지지 않으며, 그 총량은 항상 일정하게 유지된다는 법칙이다.

2) 에너지 절약의 이유(에너지의 방향성)

에너지의 총량은 일정하게 유지되지만 에너지를 사용할수록 다시 사용하기 어려운 열에너지의 형태로 전환되므로, 사용 가능한 유용한 에너지의 양은 점점 줄어든다. 결국 에너지는 최종적으로 열에너지 형태로 전환되므로 에너지를 절약하고, 효율적으로 사용해야 한다.

02. 에너지의 효율적 이용

(1) 열기관과 에너지 효율

1) 열기관 : 열에너지를 일(운동 에너지)로 전환하는 장치이다.

① 내연 기관 : 자동차 엔진, 로켓 기관, 제트 엔진

② 외연 기관 : 증기 기관, 증기 터빈

2) 에너지 효율

$$\text{에너지 효율(\%)} = \frac{\text{유용하게 사용된 에너지의 양}}{\text{공급한 에너지의 양}} \times 100$$

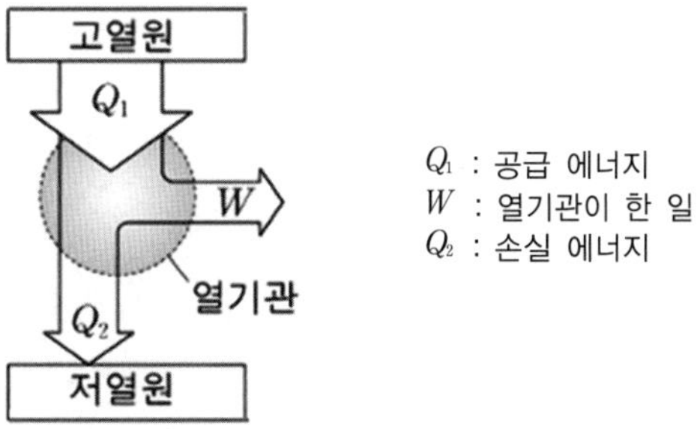

① 에너지 효율 $= \frac{W}{Q_1} \times 100 = \frac{Q_1 - Q_2}{Q_1} \times 100$

② W가 클수록, Q_2가 적을수록 효율이 좋은 열기관이다.

③ $Q_2 = 0$인 열기관을 영구기관이라 하는데, 만들 수 없다.

※ 제1종 영구기관 : 외부로부터 에너지 공급 없이도 계속 일을 할 수 있는 기관

※ 제2종 영구기관 : 열효율이 100%인 영구기관

3) 에너지 효율을 높이기 위한 방법

① 조명기구 : 백열전구나 형광등을 LED전구로 교체한다.

② 주택 : 단열재나 이중창을 설치한다.

③ 하이브리드 자동차 : 엔진, 배터리, 전기모터를 함께 사용하므로 운행 중 버려지는 에너지를 전기 에너지로 전환하여 다시 사용하므로 에너지 효율이 높다.

④ 에너지 제로 하우스 : 외부에서 에너지 공급을 받지 않고도 생활할 수 있는 에너지 자립 건물

㉠ 패시브 기술 : 첨단 단열 공법으로 에너지 낭비를 최소화하는 기술

㉡ 액티브 기술 : 필요한 에너지를 태양열, 태양광, 풍력, 지열 등으로 해결하여 사용

⑤ 에너지 소비 효율이 높은 1등급의 제품을 사용한다.

15 전기 에너지의 생산과 수송

01. 전기 에너지의 생산

(1) 전자기 유도와 발전

1) 전자기 유도

① 전자기 유도 : 코일과 자석 사이의 상대적인 운동으로 코일을 통과하는 자기장이 변할 때, 코일에 전류가 유도되는 현상이다.

② 유도 전류의 세기(패러데이의 법칙) : 센 자석을 사용할수록, 코일을 많이 감을수록, 자석을 빠르게 움직일수록 전류의 세기가 커진다.

③ 유도 전류가 발생하지 않는 경우 : 자석이나 코일이 정지해 있을 경우

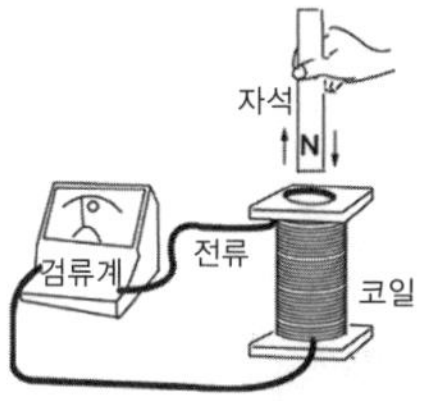

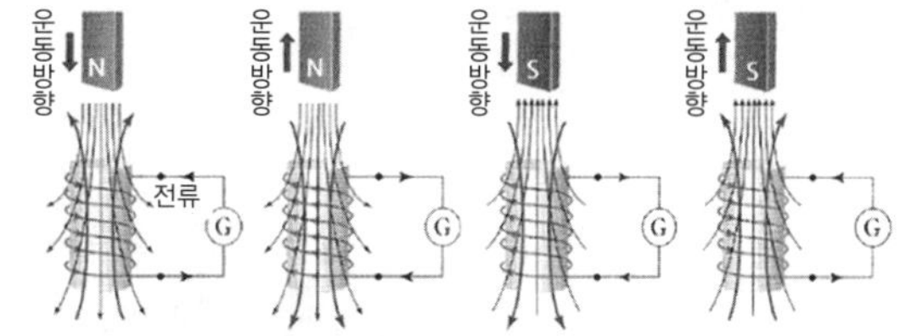

④ 유도 전류의 방향(렌츠의 법칙) : 코일을 통과하는 자기장의 변화를 막는 방향으로 유도 전류가 흐르며, 교류 전류의 원리이다.

⑤ 전자기 유도의 이용 : 발전기, 변압기, 금속탐지기, 도난 방지기, 발광 킥보드 바퀴

2) 발전기

① 구조 : 자석 사이에 코일이 회전하도록(또는 반대로) 고안되어 있다.

② 원리 : 자석 사이에서 코일을 회전시키면 코일을 통과하는 자기장이 변하여, 전자기 유도에 의해 코일에 전류가 유도된다. (코일의 역학적E → 전기E)

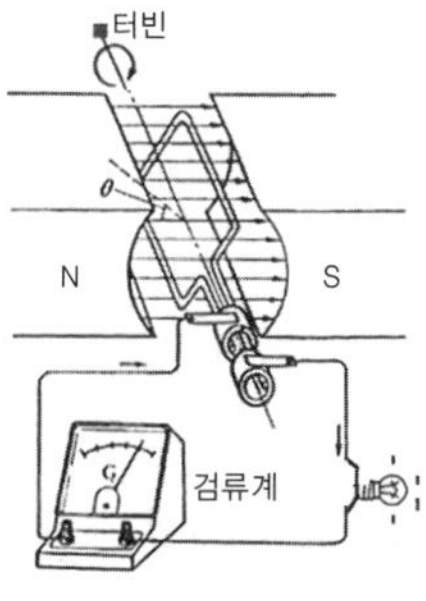

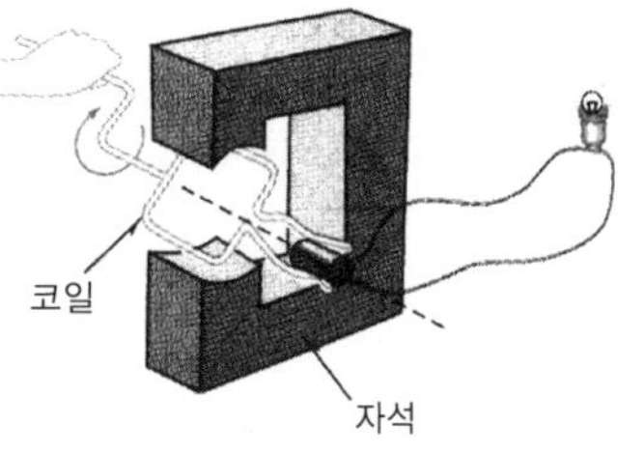

(2) 여러 가지 발전 방식

- 발전기에 연결된 터빈을 돌려서 전자기 유도의 원리로 전기를 생산한다.

발전 형태	에너지원	에너지 전환
수력 발전	물의 퍼텐셜 E	퍼텐셜 E → 터빈의 역학적 E → 전기 E
화력 발전	석탄, 석유의 화학 E	화학 E → 열 E → 터빈의 역학적 E → 전기 E
핵 발전	우라늄의 핵 E	핵 E → 열 E → 터빈의 역학적 E → 전기 E
양수 발전	수력 발전과 같다.	심야에 남는 전력을 이용하여 발전에 사용한 물을 높은 곳에 다시 퍼 올렸다가 재사용
열병합 발전	화력 발전과 같다.	발전 과정에서 발생한 열을 지역 난방에 사용하는 발전 방식

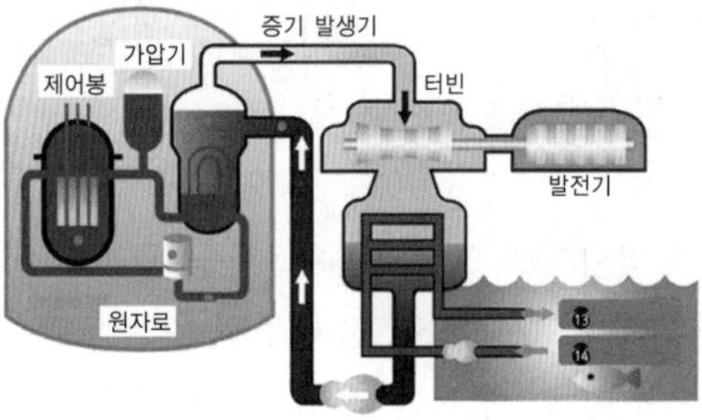

▲ 핵 발전

02. 전기 에너지 수송

(1) 전력 수송 과정

1) 송전

① 송전과정 :

발전소 → 초고압 변전소 → 1차 변전소 → 2차 변전소 → 주상변압기 → 가정
(20KV) (345KV) (154KV) (22.9KV) (220V)

② 송전할 때 송전선에 흐르는 전류와 송전선의 저항 때문에 전력의 일부가 손실된다.

2) 전력 손실

① 송전선에서 1초 동안에 손실되는 전력(열에너지)

$$P = VI = I^2R \quad (I : \text{송전선 전류}, R : \text{송전선 저항})$$

② 송전선에서 전력 손실을 줄이는 방법

송전선에 흐르는 전류(I)를 작게 한다.	송전선의 저항(R)을 작게 한다.
동일 전력 공급시 전압 → n배↑ 전류 → $\frac{1}{n}$배↓ 송전선에서 전력 손실 → $\frac{1}{n^2}$배↓	전기 저항이 작은 금속이나, 송전선을 굵게 해야 하지만, 제작비가 증가하고 송전탑 간격을 좁게 건설해야 하는 어려움이 있다.
따라서 전력 손실을 줄이려면, 송전 전압을 높이는 것이 효과적이다.	

(2) 변압기(변전소)

1) 변압기 : 전자기 유도 현상을 이용하여 송전 전압을 변화시키는 장치이다.

① 변압기에서 에너지 손실이 없다면, 입력 전력과 출력 전력은 에너지 보존 법칙에 의해 같다.

$$P = V_1 \cdot I_1 = V_2 \cdot I_2$$

$$\frac{V_1}{V_2} = \frac{I_2}{I_1}$$

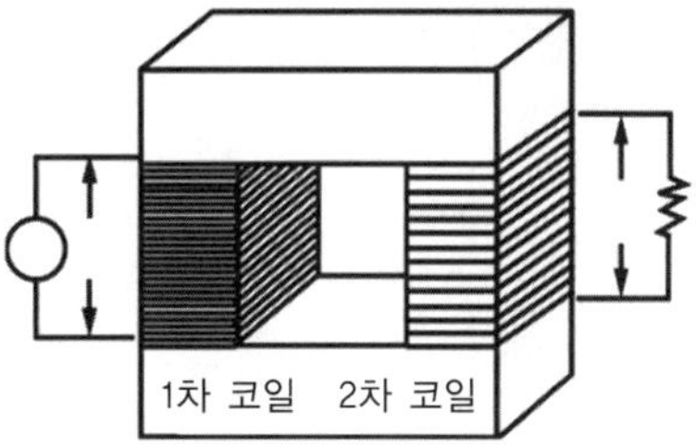

② 변압기의 전압은 코일의 감은 수에 비례하고, 전류는 코일의 감은 수에 반비례한다.

예 1차 코일의 감은 수, 전압 : N_1, V_1
2차 코일의 감은 수, 전압 : N_2, V_2

$$\frac{N_1}{N_2} = \frac{V_1}{V_2} = \frac{I_2}{I_1}$$

2) 효율적이고 안전한 전력 수송

① 고전압 송전 : 손실 전력을 줄일 수 있다.

② 거미줄 송전망 : 거미줄 같은 송전 전력망 구축으로 선로에 이상이 발생할 경우 그 부분을 차단하고 우회하여 송전할 수 있다.

③ 근거리 송전 : 전력 수송 거리를 줄여 송전선의 저항으로 인한 손실 전력을 줄인다.

④ 지능형 전력망(스마트그리드) : 수요량과 공급량의 정보를 실시간으로 파악하여 필요량을 송전한다.

3) 안전한 전력 수송

① 고압 차단 스위치 : 전압이 지나치게 높아질 경우 퓨즈가 끊어져 전류가 차단된다.

② 전선 지중화 : 고압 송전선을 지하에 매설하여 사고나 위험으로부터 보호한다.

③ 안전장치 설치 : 고압 송전선 주변에 구조물, 안전장치를 설치하여 사람의 접근을 막는다.

④ 로봇의 이용 : 선로를 점검하고 수리할 때 로봇을 이용한다.

⑤ 애자 사용 : 송전탑과 송전선은 절연체인 애자로 연결한다.

⑥ 초고압 직류 송전 : 전력용 반도체를 사용하여 교류를 직류로 바꿔 송전하는 방식으로, 교류 송전보다 전력 손실이나 전자파 위험이 적고 비용이 적어, 장거리 해저케이블에 활용할 수 있다.

16 발전과 신재생 에너지

01. 태양 에너지의 생성

(1) 수소 핵융합 반응

1) **과정** : 태양 중심부에서 수소 원자핵 4개가 융합하여 1개의 헬륨 원자핵을 만드는 수소 핵융합 반응으로 에너지를 생성한다.

2) **질량 에너지 등가 원리** : 물질의 질량은 에너지로, 에너지는 질량으로 변환될 수 있으므로 에너지와 질량은 동등하다. 따라서 수소 핵융합 과정에서 감소한 질량(질량 결손)이 에너지로 전환된다.

4H → He + E (에너지) $E = \Delta mc^2$

(질량 4.032) (질량 4.003) (질량결손 : 0.029)

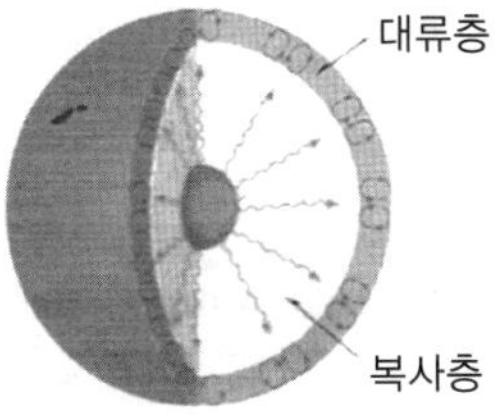

(2) 태양 에너지의 전환

태양 에너지	생명체 에너지원	식물의 광합성을 통해 생명체의 생명 활동을 유지
	화석 연료	생물체가 땅속에 묻히면 화석 연료로 전환
	기상 현상	지표에서는 자연 현상(비, 구름, 바람 등)을 일으키는 원인
	일상생활	태양 전지를 이용한 전기의 생산

02. 발전과 지구 환경

(1) 화석 연료와 에너지 문제

1) **화석 연료** : 과거에 살던 생물체가 매몰된 후 오랫동안 열과 압력을 받아 만들어진 에너지 예 석탄, 석유, 천연가스 등

2) **화석 연료 사용의 문제점**

① 매장량이 한정되어 언젠가는 고갈될 에너지이다.

② 이산화탄소를 생성하여 지구 온난화, 대기 오염을 일으킨다.

③ 매장 지역이 편중, 가격과 공급 간에 국가 간 갈등을 초래한다.

3) **해결 방안** : 고갈의 염려가 없고, 지구 온난화, 환경오염이 없는 에너지를 개발해야 한다.

(2) 핵발전과 신재생 에너지

1) **핵발전**

① 에너지 생성 과정

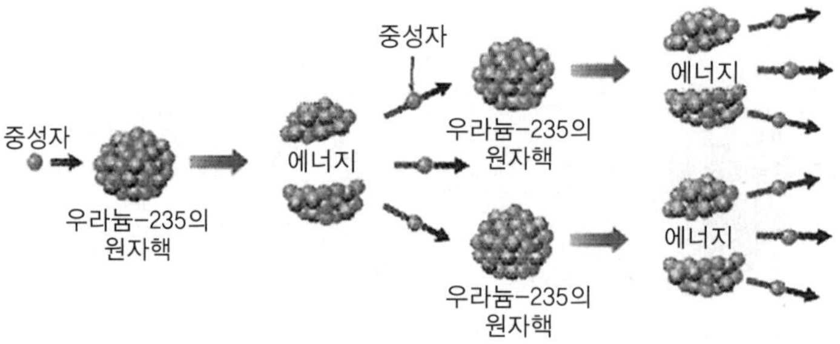

㉠ 감속제 : 핵분열 할 때 방출되는 중성자의 속도를 느리게 하는 역할(흑연, 물)

㉡ 제어봉 : 연쇄 반응이 서서히 일어나도록 중성자를 흡수하여 그 수를 조절(카드뮴, 붕소)

㉢ 우라늄 1g은 석탄 3톤, 석유 약 2000L의 에너지에 해당한다.

② 핵발전의 장 · 단점

㉠ 장점 : 이산화탄소를 배출하지 않으므로 화력 발전을 대체할 수 있다.
연료비가 저렴하고, 에너지 효율이 높아 대용량 발전이 가능하다.

㉡ 단점 : 자원의 매장에 한계가 있다.
방사능 유출 사고 위험, 방사성 폐기물의 처리 문제가 있다.

(3) 신재생 에너지

1) **신재생 에너지** : 화석 연료와 핵발전 에너지의 문제점인 자원 고갈과 환경오염 등을 해결하기 위한 대체 에너지이다.

① 신 에너지 : 기존에 사용하지 않았던 새로운 에너지

예 연료 전지, 수소 에너지

② 재생 에너지 : 계속해서 다시 사용할 수 있는 에너지

예 태양열, 태양광, 풍력, 수력, 해양, 지열, 바이오 등

(4) 신재생 에너지를 이용한 발전

1) **태양광 발전**

① 에너지 생성 과정

㉠ 태양의 빛 에너지를 직접 전기 에너지로 전환, n형과 p형 반도체를 붙여서 만든다.

㉡ 태양 전지 여러 개를 연결하여 함께 사용한다.

② 태양 전지의 이용 : 장난감 자동차, 태양광 손 선풍기 등

③ 장 · 단점

㉠ 장점 : 자원 고갈의 염려가 없고, 유지 보수가 간편하다.

㉡ 단점 : 계절과 일조량의 영향으로 발전 시간이 제한적이다.
설치 공간이 넓어야 하고, 초기 설치비용이 많이 든다.
태양 전지에서 반사되는 빛이 인가나 축사에 영향을 준다.

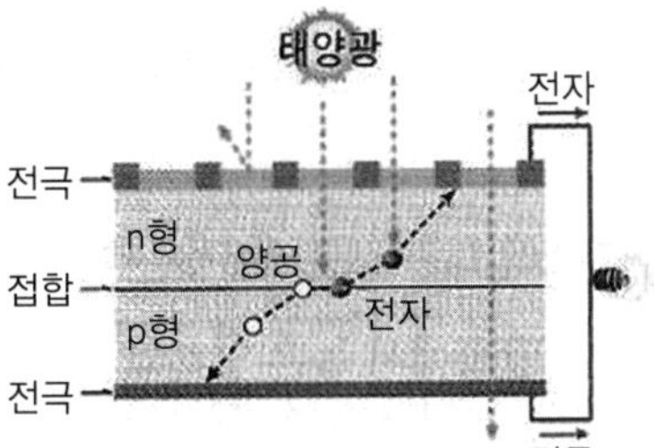

▲ 태양 전지

2) **태양열 발전**

→ 태양의 열에너지를 집열판으로 흡수하여 물을 끓여 증기 힘으로 발전을 한다.

3) 풍력 발전

① 에너지 생성 과정

㉠ 바람의 운동 에너지를 이용하여 발전기와 연결된 날개를 돌려 전기를 생산한다.

▲ 풍력 발전

㉡ 날개의 회전수가 저속이더라도 내부의 기어에 의해 발전기는 고속으로 회전한다.

㉢ 날개가 길수록 전력 생산량이 증가하고, 전자기 유도의 원리가 적용된다.

② 장 · 단점

㉠ 장점 : 환경 문제나 자원의 고갈이 없고, 설치가 비교적 간단하다.

㉡ 단점 : 바람의 방향과 세기가 일정하지 않아 발전량을 정확히 예측하기 어렵다. 산림 및 자연 경관이 훼손되기도 하고, 소음이 발생하는 문제가 있다.

4) 조력 발전

① 에너지 생성 과정

㉠ 밀물과 썰물 때 해수면의 높이 차를 이용하여 전기를 생산한다.

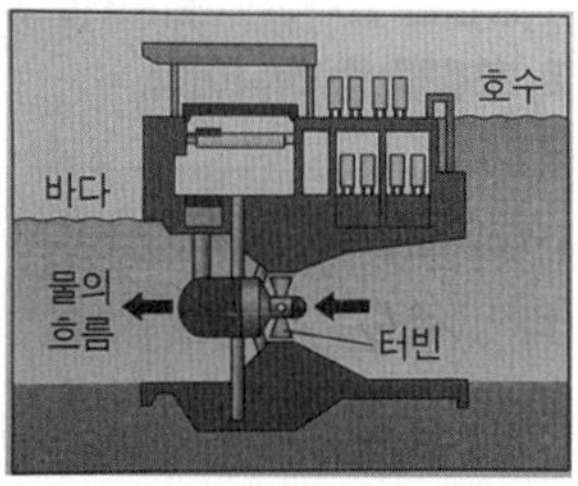

▲ 조력 발전

㉡ 조석 간만의 차가 큰 서해가 최적지이다.

② 장 · 단점

㉠ 장점 : 날씨나 계절에 관계없이 발전할 수 있고, 조차의 크기로 발전량 예측이 가능하다.

㉡ 단점 : 건설비가 많이 들고 장소가 제한적이며, 해양 생태계에 혼란을 줄 수 있다.

5) 파력 발전

① 에너지 생성 과정

㉠ 파도의 운동 에너지를 이용하여 전기를 생산하는 방식이다.

㉡ 파도의 힘으로 직접 터빈을 돌리는 방식과, 파도에 의한 해수면의 높이 차로 공기를 압축하여 터빈을 돌리는 방식이 있다.

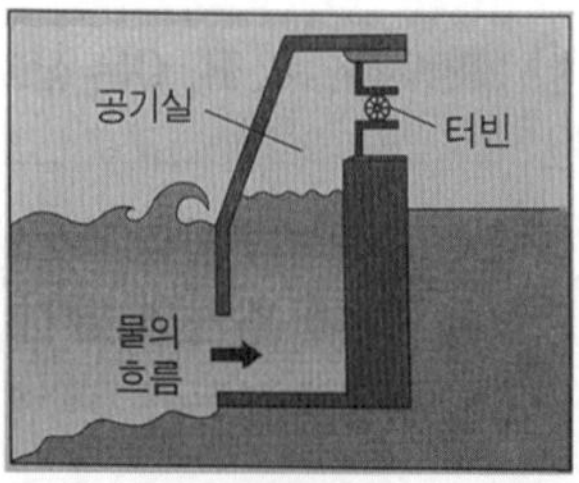

▲ 파력 발전

② 장 · 단점

㉠ 장점 : 소규모의 발전이 가능하고, 한 번 설치로 거의 영구적으로 사용할 수 있다.

㉡ 단점 : 관리가 어렵고, 기후나 파도의 상황에 따라 발전량에 차이가 있다.

6) 지열 발전

① 에너지 생성 과정

㉠ 땅 속에서 고온의 지하수나 수증기를 끌어 올려 온수와 난방에 이용하거나 터빈을 회전시켜 전기를 생산한다.

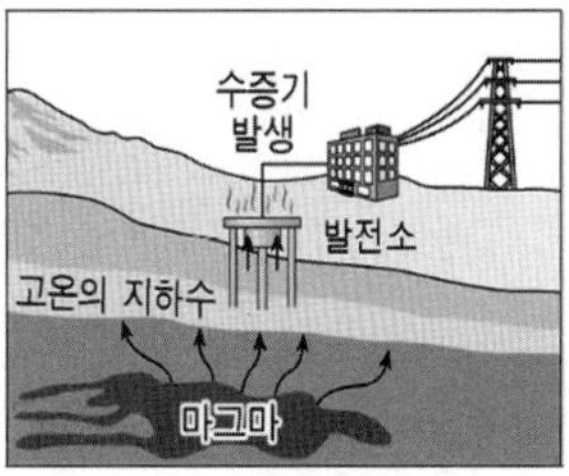

▲ 지열 발전

② 장 · 단점

㉠ 장점 : 자원의 고갈 염려가 없고, 발전 과정에서 환경오염이 발생하지 않는다.

좁은 면적에 발전 설비를 설치할 수 있고, 날씨에 관계없다.

㉡ 단점 : 이용할 수 있는 지역이 한정되어 있고, 초기 투자비용이 많이 든다.

7) 수소 핵융합 발전

① 장점 : 바닷물에 풍부한 중수소와 삼중수소를 원료로 하므로 비용이 저렴, 발전 과정에서 방사성 물질이나 이산화탄소의 배출이 없어 친환경적이다.

② 단점 : 핵융합이 일어나기 위해서는 1억K 이상의 높은 온도가 요구된다.

8) 수소 연료 전지

① 에너지 생성 과정

㉠ 연료의 화학 에너지를 직접 전기 에너지로 전환시키는 장치이다.

㉡ (−)극에서는 수소가 전자를 잃어 H^+로 산화되고, (+)극에서는 산소가 수소이온과 만나 물이 생성된다.

㉢ 수소가 내놓은 전자의 이동으로 전류가 흐른다.

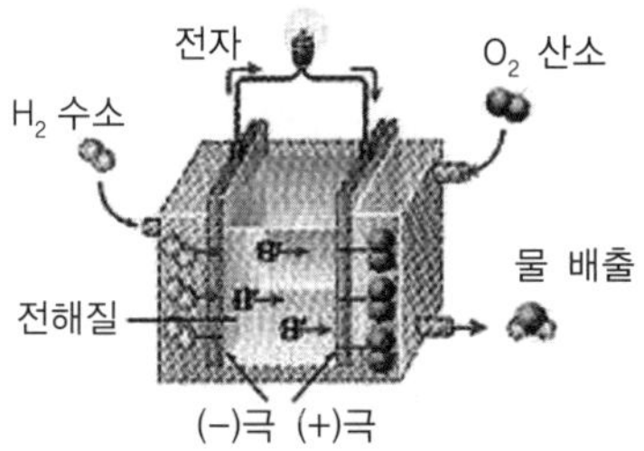

(−) $2H_2 \rightarrow 4H^+ + 4e^-$

(+) $O_2 + 4H^+ + 4e^- \rightarrow 2H_2O$

전체 $2H_2 + O_2 \rightarrow 2H_2O$

② 장 · 단점

㉠ 장점 : 생성물이 물이므로 환경오염이 없다.
연료의 화학 에너지가 직접 전기 에너지로 전환되므로 효율이 높다.

㉡ 단점 : 수소는 폭발의 위험이 크고, 생산하는 데 경제성이 낮고, 저장, 운반 등이 어렵다.

③ 미래의 이용 : 휴대용 전자 제품의 전원, 수소 연료 전지 자동차, 대규모의 발전 등

(5) 친환경 에너지 도시

- 지역 환경에 맞는 신재생 에너지를 활용하여 에너지와 환경문제를 해결할 수 있는 도시를 말한다.

  예 영국의 베드제드, 독일의 프라이부르크, 스웨덴의 하마비 허스타드 등

(6) 화학 반응식 완결하기

반응물의 원자수 = 생성물의 원자수

① $\square H_2 + \square O_2 \rightarrow \square H_2O$

② $\square N_2 + \square H_2 \rightarrow \square NH_3$

③ $\square CH_4 + \square O_2 \rightarrow \square CO_2 + \square H_2O$

1. 다음 그림과 같이 크기는 같고 질량이 다른 물체를 같은 높이 h에서 가만히 놓았을 때, 바닥에 도달하는 순간의 운동 에너지가 가장 큰 것은? (단, 모든 저항은 무시한다.)

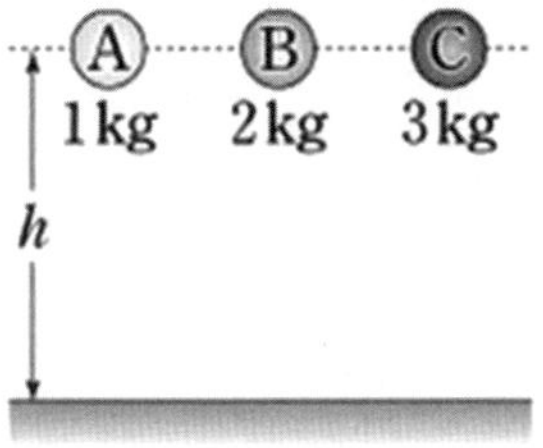

① A
② B
③ C
④ 모두 같다.

2. 건물에서 물체가 자유 낙하하는 동안, 물체의 에너지 변화에 대한 설명으로 옳은 것은? (단, 공기 저항과 마찰은 무시한다.)

① 운동 에너지는 감소한다.
② 퍼텐셜 에너지는 증가한다.
③ 역학적 에너지는 증가한다.
④ 퍼텐셜 에너지가 운동 에너지로 전환된다.

3. 다음 그림에서 A~C와 같이 높이 h에서 가만히 놓은 공이 경사면을 따라 내려올 때, 지면에 도달하는 순간의 속력에 대한 설명으로 옳은 것은?
(단, 공의 질량은 같고, 모든 마찰은 무시한다.)

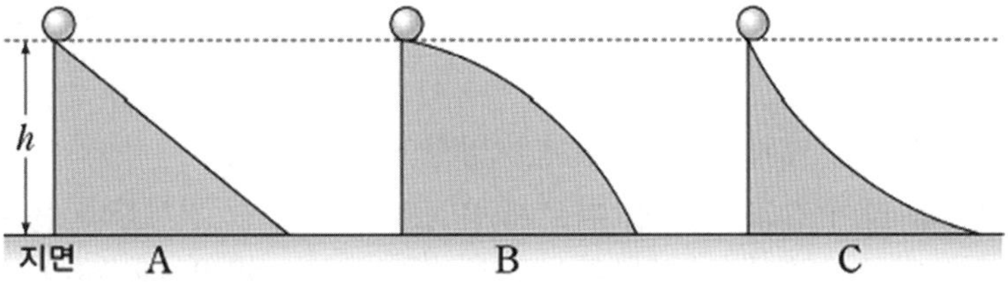

① A에서 가장 빠르다.
② B에서 가장 빠르다.
③ C에서 가장 빠르다.
④ 모두 같다.

4. 다음 중 각 장치에서 일어나는 에너지 전환 과정으로 옳지 않은 것은?

① 전등 : 전기 에너지 → 빛 에너지
② 전동기 : 전기 에너지 → 역학적 에너지
③ 태양전지 : 전기 에너지 → 빛 에너지
④ 스피커 : 전기 에너지 → 소리 에너지

5. 다음에서 설명하는 법칙은?

한 에너지가 다른 형태의 에너지로 전환될 때 에너지는 새로 생기거나 없어지지 않으며, 그 총량은 항상 일정하게 유지된다는 법칙이다.

① 에너지 보존의 법칙
② 엔트로피 증가의 법칙
③ 질량 보존의 법칙
④ 운동량 보존의 법칙

6. 오른쪽 그림은 자석을 코일 속에서 왕복 운동 할 때의 전자기 유도현상 실험이다. 이에 대한 설명으로 옳은 것을 〈보기〉에서 모두 고른 것은?

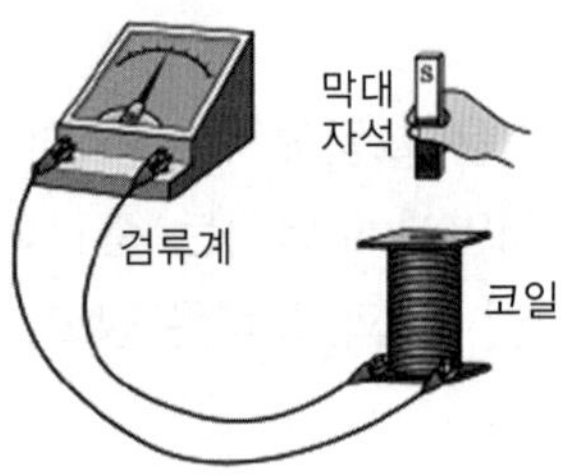

〈보기〉

ㄱ. 자석을 넣을 때와 뺄 때에 전류의 방향이 반대이다.
ㄴ. 코일을 많이 감고, 자석을 빠르게 움직일수록 더 센 전류를 얻을 수 있다.
ㄷ. 자석을 코일 속에 가만히 넣어 두면 일정한 세기의 전류가 얻어진다.
ㄹ. 발전기, 변압기, 도난 방지기, 금속 탐지기도 같은 원리를 이용한 것이다.

① ㄱ, ㄴ　② ㄷ, ㄹ　③ ㄴ, ㄷ, ㄹ　④ ㄱ, ㄴ, ㄹ

7. 다음 그림은 열기관의 1회 순환 과정을 나타낸 것이다. 이에 대한 설명으로 옳은 것은? (단, 열기관이 흡수한 열은 Q_1, 방출한 열은 Q_2, 한 일은 W 이다.)

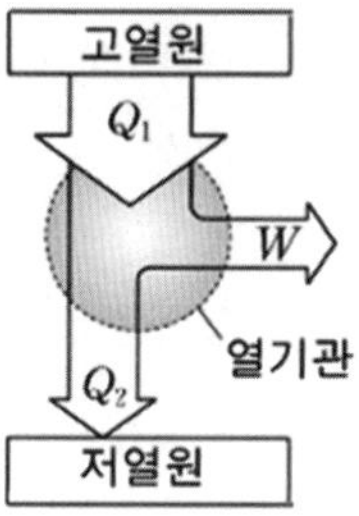

① $Q_1 < Q_2$
② $W = Q_1 - Q_2$
③ W가 작을수록 열효율이 좋다.
④ $Q_2 = 0$인 열기관을 만들 수 있다.

8. 오른쪽 그림은 발전기를 회전시켜 전구에 불을 켜는 모습을 나타낸 것이다. 이에 대한 설명으로 옳은 것을 〈보기〉에서 모두 고른 것은?

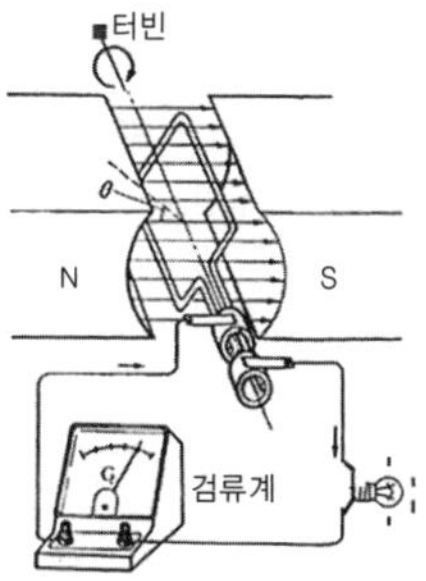

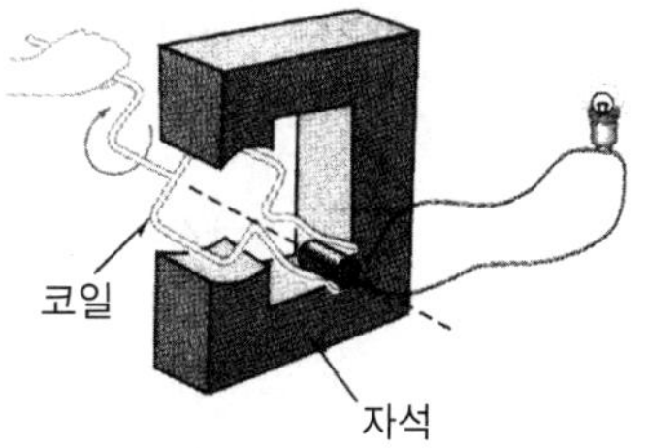

〈보기〉

ㄱ. 전자기 유도의 원리를 이용한 것이다.
ㄴ. 자석이 셀수록 전구의 불이 밝아진다.
ㄷ. 전기 에너지를 역학적 에너지로 전환한다.

① ㄱ, ㄴ　② ㄴ, ㄷ　③ ㄱ, ㄷ　④ ㄱ, ㄴ, ㄷ

9. 다음은 에너지 전환을 나타낸 것이다. (A)와 (B)에 해당하는 것으로 옳은 것은?

· 발전 방식(A) : 퍼텐셜 에너지 → 전기 에너지
· 전기 기구(B) : 전기 에너지 → 역학적 에너지

	(A)	(B)
①	수력 발전	형광등
②	수력 발전	선풍기
③	화력 발전	선풍기
④	화력 발전	형광등

10. 다음 중 발전소에서 생산한 전기 에너지를 송전할 때 손실 전력을 줄이기 위한 방법으로 옳지 않은 것은?

① 전기 저항이 작은 금속을 사용한다.
② 송전선을 굵고, 짧게 제작한다.
③ 송전 전류를 작게 한다.
④ 송전 전압을 작게 한다.

11. 다음은 발전소에서 생산한 전기 에너지를 송전할 때 손실 전력을 줄이기 위한 방법을 설명한 것이다. (　　)에 들어갈 말로 옳은 것은?

> 전기 에너지를 송전할 때 손실 전력을 줄이기 위한 방법으로 송전 전압을 높이는 것이 효율적이다. 만약에 송전 전압을 2배로 높이면 송전선에서 손실 전력은 처음의 (　　)가 된다.

① 2배　　② 4배
③ 1/2배　　④ 1/4배

12. 변압기의 구조를 나타낸 것이다. 1차 코일의 감은 수는 400회이고, 전압은 220V이며, 전류는 1A이다. 만약 2차 코일의 감은 수를 200회로 줄였을 때, 2차 코일에 유도되는 전압, 전류, 출력 전력을 옳게 짝지은 것은?

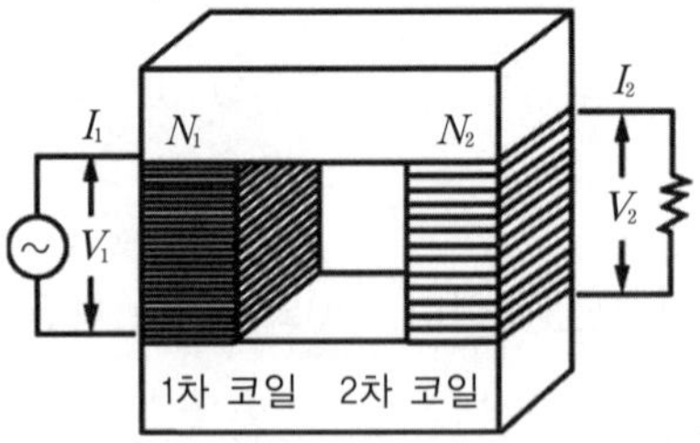

	전압	전류	출력 전력
①	110V	1A	110W
②	110V	2A	220W
③	440V	1A	440W
④	440V	2A	880W

13. 다음은 태양의 중심부에서 일어나는 수소 핵융합 반응이다.

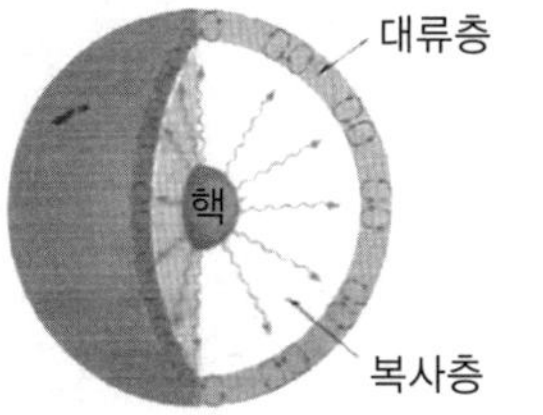

이에 대한 설명으로 옳은 것을 〈보기〉에서 모두 고른 것은?

〈보기〉

ㄱ. 수소 핵융합 반응으로 헬륨 원자핵을 생성한다.
ㄴ. 태양의 중심부에서 일어나는 반응이다.
ㄷ. 핵융합 반응 전보다 후에 질량이 증가한다.

① ㄱ　　② ㄷ
③ ㄱ, ㄴ　　④ ㄴ, ㄷ

14. 다음 중 태양 에너지의 이용과 전환에 대한 설명으로 옳지 <u>않은</u> 것은?

① 광합성을 통해 지구 생명체들의 에너지원이 된다.
② 지구에 기상현상, 풍화, 침식 작용의 원인이 된다.
③ 태양 복사 에너지는 바다에서 밀물과 썰물 현상을 일으킨다.
④ 화석 연료는 태양 에너지가 화학 에너지로 전환된 것이다.

15. 다음 중 화석 연료 사용에 대한 설명으로 옳지 <u>않은</u> 것은?

① 주성분은 탄소와 질소이다.
② 대기를 오염시키고, 환경오염을 유발한다.
③ 자동차 배기가스와 함께 산성비를 내리게 한다.
④ CO_2 (이산화탄소)를 배출해 온난화를 유발한다.

16. 다음 설명에 해당하지 <u>않는</u> 에너지는?

· 비재생 에너지원이다.
· 식물이나 동물이 지층에 매몰되어 생성된다.
· 매장 지역이 편중되어 있어 공급이 불안정하다.

① 석유 ② 석탄 ③ 우라늄 ④ 천연가스

17. 다음 중 석유와 우라늄의 공통점만을 〈보기〉에서 고른 것은?

〈보기〉

ㄱ. 화석 연료이다.
ㄴ. 지구 온난화를 유발한다.
ㄷ. 언젠가는 연료가 고갈된다.
ㄹ. 매장 지역이 편중되어 있다.

① ㄱ, ㄴ ② ㄷ, ㄹ ③ ㄱ, ㄴ, ㄷ ④ ㄱ, ㄷ, ㄹ

18. 오른쪽 그림은 핵발전에서 우라늄이 핵분열을 하는 모습이다.
이에 대한 설명으로 옳은 것을 〈보기〉에서 모두 고른 것은?

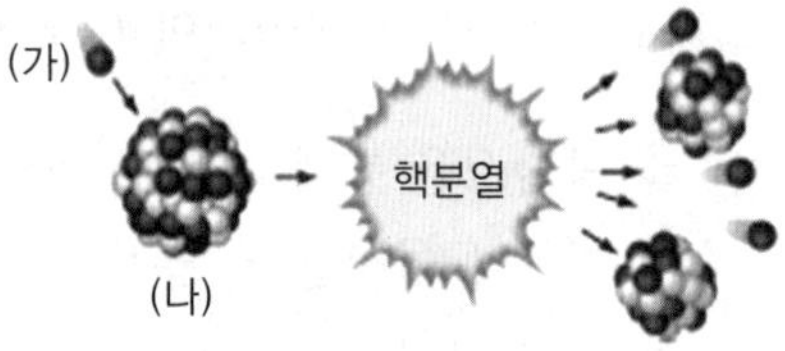

〈보기〉

ㄱ. (가)는 중성자, (나)는 우라늄 원자핵이다.
ㄴ. 핵분열로 생성된 (가)는 연쇄적으로 핵분열을 일으킨다.
ㄷ. 핵발전 과정에서 지구 온난화 물질이 배출된다.

① ㄱ ② ㄷ ③ ㄱ, ㄴ ④ ㄴ, ㄷ

19. 화석 연료를 대체하기 위한 신재생 에너지에 속하지 <u>않는</u> 것은?

① 태양 에너지 ② 풍력 에너지
③ 지열 에너지 ④ 석유 에너지

20. 태양광 발전과 태양열 발전의 공통점으로 옳지 않은 것은?

① 연료가 고갈될 염려가 없다.
② 오염 물질의 배출이 없다.
③ 계절이나 일조량의 영향을 받는다.
④ 설치 비용이 비교적 적게 든다.

21. 다음은 풍력 발전을 나타낸 것이다. 이에 대한 설명으로 옳은 것을 〈보기〉에서 모두 고른 것은?

〈보기〉

ㄱ. 지역 조건에 영향을 받지 않는다.
ㄴ. 환경 오염 물질의 배출이 없다.
ㄷ. 바람의 운동 에너지가 전기 에너지로 전환된다.

① ㄱ ② ㄴ ③ ㄴ, ㄷ ④ ㄱ, ㄷ

22. 바다를 제방으로 막아 밀물과 썰물로 인한 해수면의 높이차를 이용하여 전기를 생산하는 발전 방식은?

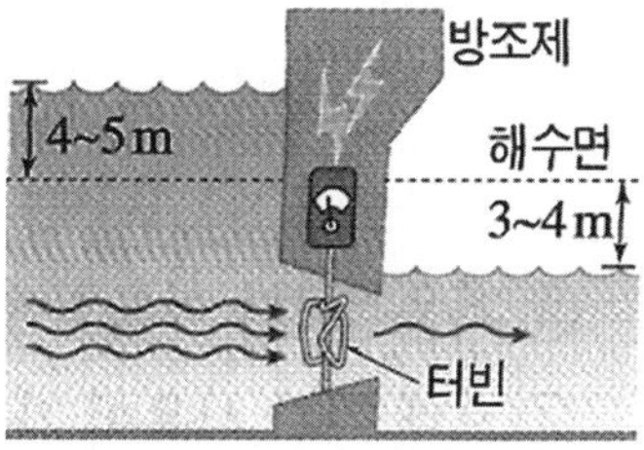

① 조력 발전
② 지열 발전
③ 풍력 발전
④ 화력 발전

23. 다음에서 설명하는 신 에너지는?

· 원료의 고갈과 환경 오염의 염려가 없다.
· 연료를 제조, 저장, 운반하는 기술의 개발이 필요하다.
· 연료를 생산하는 데 비용이 많이 들어 경제성이 낮다.

① 태양 에너지
② 수력 에너지
③ 지열 에너지
④ 수소 에너지

실전모의고사
1, 2회 풀어보기

1. 다음은 물질을 구성하는 원자를 모형으로 나타낸 것이다.

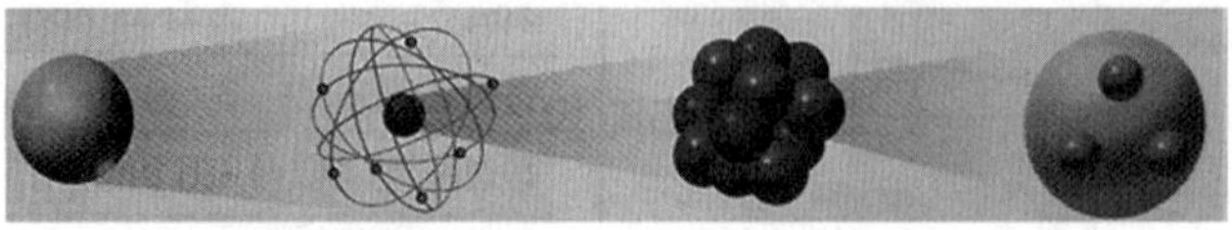

이에 대한 설명으로 옳은 것을 〈보기〉에서 모두 고른 것은?

〈보기〉

ㄱ. 쿼크와 전자는 기본 입자에 해당한다.
ㄴ. 원자는 원자핵과 전자의 결합으로 생성되었다.
ㄷ. 원자는 전기적으로 (+)전하를 띤다.

① ㄱ ② ㄴ
③ ㄱ, ㄴ ④ ㄱ, ㄴ, ㄷ

2. 오른쪽 그림은 수소 핵융합 반응이 일어나는 별의 모습을 나타낸 것이다. 옳지 않은 것은?

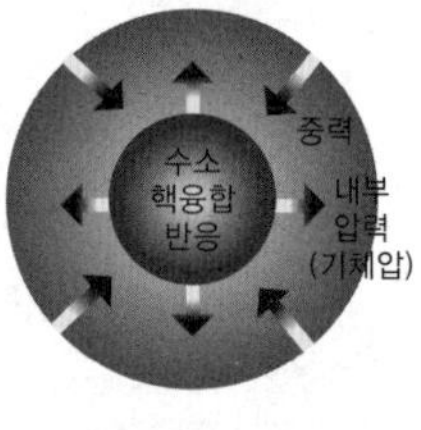

① 주계열성을 나타낸 것이다.
② 별의 중심부에서 핵반응이 일어난다.
③ 시간이 지남에 따라 중심부에 헬륨의 양은 증가한다.
④ 별의 크기가 주기적으로 변한다.

3. 다음은 몇 가지 원소의 특징을 설명한 것이다. 옳지 않은 것은?

① 금속 원소는 대부분 열과 전기를 잘 통한다.
② 알루미늄은 가벼워서 호일, 음료 캔의 재료로 이용된다.
③ 질소는 반응성이 커서 폭발의 위험이 큰 기체이다.
④ 헬륨은 반응성이 작아 풍선(벌룬) 등에 이용한다.

4. 다음 이온결합 물질에 대한 설명 중 옳은 것을 〈보기〉에서 모두 고른 것은?

〈보기〉

ㄱ. 고체와 액체 상태에서는 전기 전도성이 없다.
ㄴ. 수용액에서는 전기 전도성이 있다.
ㄷ. 정전기적 인력에 의한 결합으로 인해, 힘을 가해도 쉽게 쪼개지거나 부서지지 않는다.

① ㄱ
② ㄴ
③ ㄱ, ㄴ
④ ㄱ, ㄷ

5. 다음 중 전류가 흐를 때 빛을 방출하도록 만든 발광 다이오드(LED)가 사용된 예가 아닌 것은?

① 신호등
② 조명장치
③ TV의 배경 광원
④ 초전도체

6. 다음 그림은 탄소로 이루어진 두 신소재로, 하나는 흑연의 한 층을 떼어낸 구조이고, 다른 하나는 탄소 원자가 축구공 모양을 이룬 구조이다.

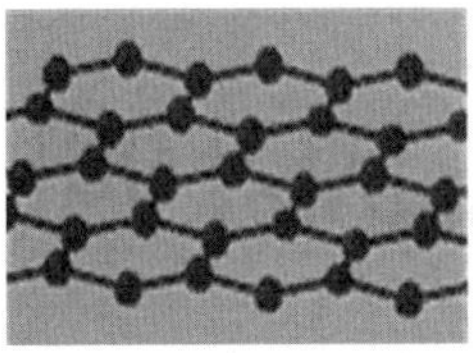
(가)

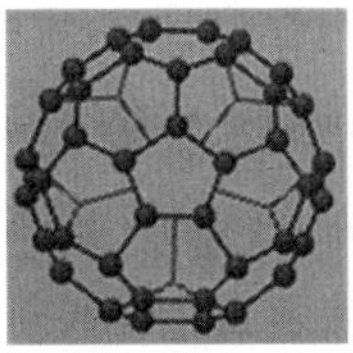
(나)

(가)와 (나)의 이름을 옳게 배열한 것은?

	(가)	(나)
①	그래핀	탄소 나노 튜브
②	풀러렌	탄소 나노 튜브
③	풀러렌	모르포
④	그래핀	풀러렌

7. 오른쪽 그림은 사과가 지면으로 떨어지고 있는 것을 뉴턴이 바라보고 있는 그림이다. 사과의 운동에 대한 설명으로 옳은 것을 모두 고르면? (단, 공기 저항은 무시한다.)

ㄱ. 낙하하는 동안 속력은 일정하다. ㄴ. 1초 동안의 속도 변화량의 크기는 일정하다. ㄷ. 사과에 작용하는 힘의 방향은 운동 방향과 같다.

① ㄱ
② ㄱ, ㄴ
③ ㄴ, ㄷ
④ ㄱ, ㄷ

8. 다음은 충돌할 경우 충격을 줄여주는 예들이다.

에어백, 자동차의 범퍼, 야구장 외야의 펜스

이에 적용된 원리로 옳은 것은?

① 충돌 시간을 길게 하면 평균 힘이 줄어든다.
② 힘을 받는 시간을 길게 할수록 나중 속력이 증가한다.
③ 움직이려는 물체는 계속 움직이려는 관성이 있다.
④ 물체에 힘을 가하면 속력이 증가하는 가속도 운동을 한다.

9. 기권을 높이에 따라 기온 분포로 분류할 때 다음은 어느 곳에 대한 설명인가?

· 높이에 따라 기온이 상승하는 층이다. · 자외선을 흡수하는 오존층이 존재한다. · 기층이 안정하여 하부는 비행기 항로로 이용된다.

① 대류권
② 성층권
③ 중간권
④ 열권

10. 다음 글에 나타난 지구계의 상호 작용으로 옳은 것은?

· 지구에 광합성 생물이 출현하여 공기 성분의 변화가 일어났다.
· 동물과 식물은 산소를 흡입하고 이산화탄소를 방출한다.

① 기권 - 수권
② 수권 - 생물권
③ 생물권 - 기권
④ 지권 - 수권

11. 광합성과 호흡에 관한 설명으로 옳은 것을 〈보기〉에서 모두 고른 것은?

〈보기〉

ㄱ. 광합성은 엽록체에서 일어난다.
ㄴ. 호흡은 미토콘드리아에서 일어난다.
ㄷ. 광합성은 이화, 호흡은 동화 작용이다.

① ㄱ
② ㄴ
③ ㄱ, ㄴ
④ ㄱ, ㄴ, ㄷ

12. 다음은 효소의 작용에 대한 그림이다. 이에 대한 설명으로 옳은 것을 〈보기〉에서 모두 고른 것은?

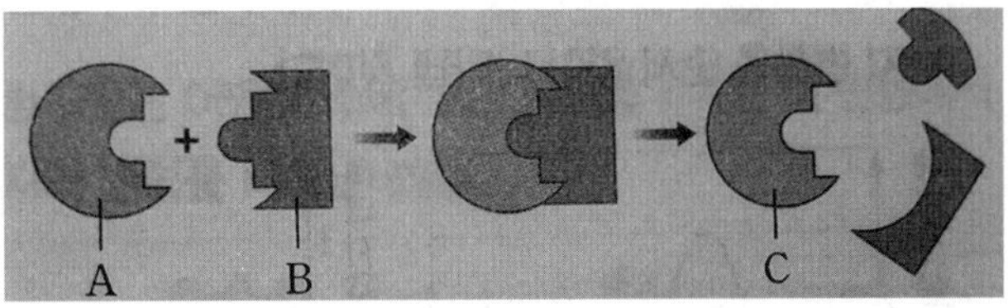

〈보기〉

ㄱ. A는 반응물(기질)이다.
ㄴ. B는 활성화 에너지를 낮춰서 반응을 빠르게 한다.
ㄷ. C의 주성분은 단백질로 온도의 영향을 받는다.

① ㄱ
② ㄴ
③ ㄷ
④ ㄴ, ㄷ

13. 다음은 판구조론에 대한 설명이다. ( ) 안에 들어갈 단어로 옳은 것은?

지구 표면은 여러 개의 판으로 구성되어 있으며, ( )에 의해 판들이 이동하고, 판의 경계에서 지진이나 화산 활동 등 지각 변동이 활발하게 일어난다는 이론을 판구조론이라 한다.

① 핵의 대류 ② 해수의 순환 ③ 해저 지진 ④ 맨틀의 대류

14. 다음은 생명 시스템에서 특정 물질을 합성하기 위한 유전 정보의 흐름이다. A, B, C에 해당하는 것으로 옳은 것은?

유전 정보의 흐름 : (A) → (B) → (C)

	A	B	C
①	DNA	RNA	단백질
②	RNA	DNA	단백질
③	단백질	DNA	RNA
④	DNA	단백질	RNA

15. 다음은 우리 주변의 몇 가지 물질을 나타낸 것이다. 이에 대한 설명으로 옳지 <u>않은</u> 것을 고르면?

레몬 식초 탄산음료

① 수용액은 신맛이 난다.
② H^+ 이온이 공통으로 존재한다.
③ 수용액은 전류를 흐르게 한다.
④ 붉은 리트머스 종이를 푸르게 변화시킨다.

16. 다음 중 산화-환원 반응의 예에 속하지 <u>않는</u> 것을 고르면?

① 사과를 깎아두면 표면이 갈변한다.
② 수돗물은 염소를 살포하여 소독한다.
③ 철은 공기 중에서 붉게 녹이 슨다.
④ 위산 과다에 제산제를 복용한다.

17. 다음 두 가지 화학 반응의 공통점으로 옳은 것은?

· $HCl + NaOH \rightarrow NaCl + H_2O$
· $H_2SO_4 + 2KOH \rightarrow K_2SO_4 + 2H_2O$

① 앙금 반응이다.
② 산화 반응이다.
③ 환원 반응이다.
④ 중화 반응이다.

18. 다음 그림은 목이 길어진 기린의 진화 과정을 나타낸 것이다.

이에 대한 설명으로 옳은 것을 〈보기〉에서 모두 고른 것은?

〈보기〉

ㄱ. 다윈의 자연 선택설이다.
ㄴ. (나)과정에서 생존 경쟁이 일어난다.
ㄷ. 변이 → 생존 경쟁 → 자연 선택의 순서로 진행된다.

① ㄱ, ㄴ
② ㄴ, ㄷ
③ ㄱ, ㄷ
④ ㄱ, ㄴ, ㄷ

19. 다음은 생물 다양성 중 어느 것의 다양성 감소를 경고한 설명인가?

씨가 없는 바나나는 씨를 얻어 심는 과정이 없기 때문에 단일 품종이다. 따라서 곰팡이를 일으키는 질병으로 인해 현재 멸종 위기에 처해 있다.

① 유전적 다양성
② 종 다양성
③ 서식지 다양성
④ 생태계 다양성

20. 다음 그림 (가)와 (나)는 평상시와 엘니뇨 시기의 대기와 해수의 운동을 순서 없이 나타낸 것이다.

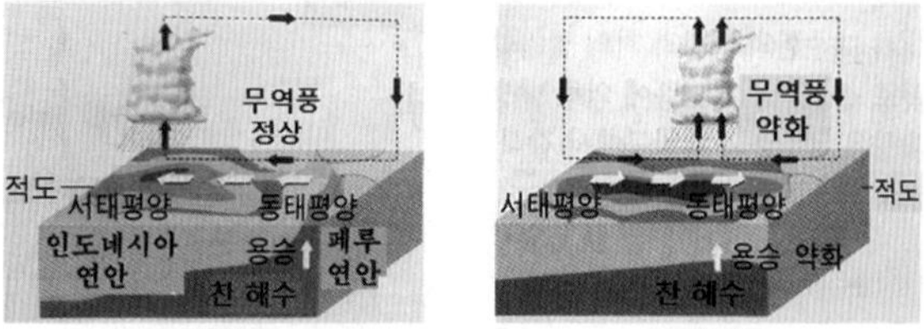

(가) (나)

이에 대한 설명으로 옳은 것을 〈보기〉에서 모두 고른 것은?

〈보기〉

ㄱ. (가)는 엘니뇨, (나)는 평상시의 그림이다.
ㄴ. (나)시기에 서태평양에는 가뭄, 동태평양에는 어장 황폐화가 나타난다.
ㄷ. 무역풍의 세기는 (가)일 때가 (나)일 때보다 강하다.

① ㄱ, ㄴ ② ㄴ, ㄷ ③ ㄱ, ㄷ ④ ㄱ, ㄴ, ㄷ

21. 지구에 온난화가 계속될 때 나타나는 현상이 아닌 것을 고르면?

① 대기에 이산화탄소가 증가할 것이다.
② 육지 면적이 감소하고, 해수면이 상승할 것이다.
③ 육지의 저지대가 침수할 것이다.
④ 극지방의 빙하 면적이 증가할 것이다.

22. 다음에서 설명하는 에너지의 종류를 옳게 짝지은 것을 고르면?

(가) 식물의 광합성이나 태양 전지에 이용된다.
(나) 화석 연료나 어떤 물질이 가지고 있는 에너지이다.
(다) 운동 에너지와 퍼텐셜 에너지의 합이다.

	(가)	(나)	(다)
①	화학 에너지	열에너지	역학적 에너지
②	빛에너지	화학 에너지	역학적 에너지
③	화학 에너지	열에너지	빛에너지
④	빛에너지	전기 에너지	화학 에너지

23. 다음 그림과 같이 막대자석을 코일 속으로 왕복 운동을 시키면 검류계 바늘이 움직인다. 이와 같은 원리를 이용한 것은?

① 전열기
② 발전기
③ 전동기
④ 선풍기

24. 송전선으로 전력을 송전할 때 손실 에너지를 줄이는 방법으로 옳은 것을 〈보기〉에서 모두 고르면?

〈보기〉

ㄱ. 송전 전압을 높인다.
ㄴ. 전기 저항이 작은 전선을 사용한다.
ㄷ. 송전 전류를 더 세게 흘린다.

① ㄱ, ㄴ
② ㄴ, ㄷ
③ ㄱ, ㄷ
④ ㄱ, ㄴ, ㄷ

25. 다음 설명에 해당하지 <u>않는</u> 에너지는?

· 비재생 에너지원이다.
· 식물이나 동물이 지층에 매몰되어 생성된다.
· 매장 지역이 편중되어 있어 공급이 불안정하다.

① 석유
② 석탄
③ 우라늄
④ 천연가스

1. 오른쪽 그림은 우주의 진화 과정에서 헬륨 원자가 형성되는 과정을 나타낸 것이다. A에 해당하는 입자의 명칭은?

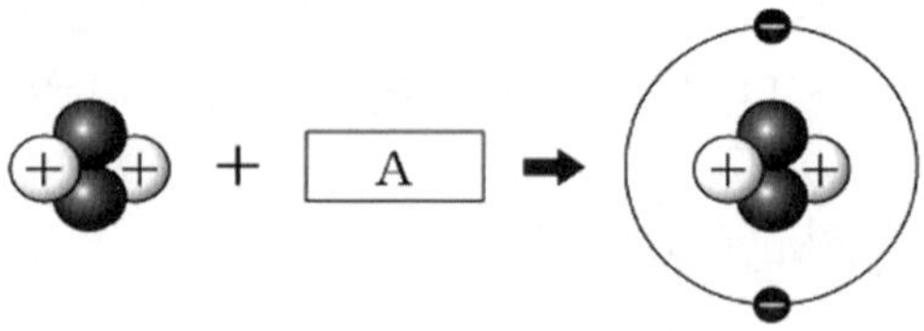

① 전자 ② 쿼크 ③ 양성자 ④ 중성자

2. 오른쪽 그림은 어느 별의 진화 단계에 대한 것이다. 이에 대한 설명으로 옳은 것을 〈보기〉에서 모두 고르면?

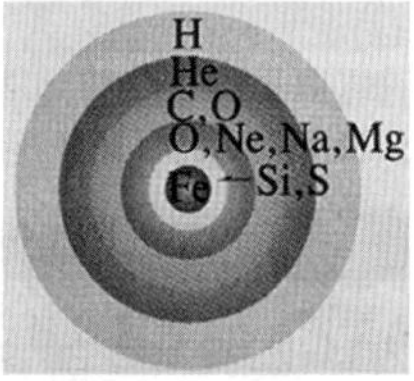

〈보기〉

ㄱ. 태양보다 질량이 매우 큰 별이다.
ㄴ. 현재 적색거성 상태이다.
ㄷ. 중심부의 온도가 더 높아지면 철의 핵융합 반응이 일어난다.

① ㄱ ② ㄴ ③ ㄱ, ㄷ ④ ㄱ, ㄴ, ㄷ

3. 오른쪽은 질소 분자의 그림이다. 이에 대한 설명으로 옳은 것을 〈보기〉에서 모두 고르면?

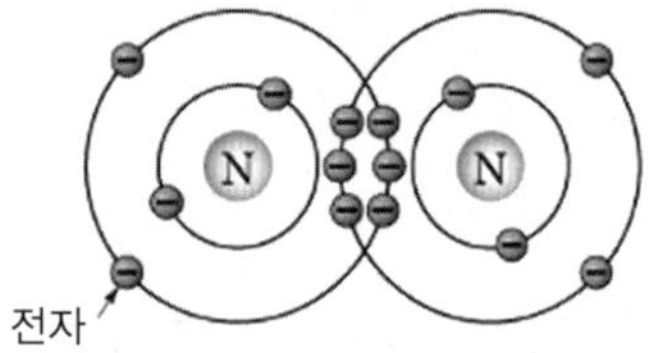

〈보기〉

ㄱ. 공유 결합이며, 극성 분자이다.
ㄴ. 공유된 전자는 3쌍이다.
ㄷ. 2개의 질소 원자가 결합에 참여하고 있다.

① ㄱ ② ㄷ
③ ㄱ, ㄴ ④ ㄴ, ㄷ

4. 다음 그림은 석유 속에 보관하고 있던 어떤 금속을 물에 넣었을 때 폭발적으로 반응하는 사진이다. 이와 같은 종류의 원소만으로 옳게 배열한 것은?

① N, O, F
② F, Cl, Br
③ Be, Mg, Ca
④ Li, Na, K

5. 오른쪽 그림은 인체를 구성하는 물질의 비율을 나타낸 것이다. 이에 대한 설명으로 옳은 것을 〈보기〉에서 모두 고른 것은?

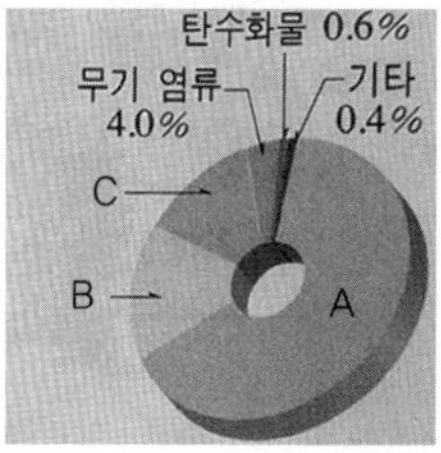

〈보기〉

ㄱ. A는 무기물이며, 체내에 66%이상인 물이다.
ㄴ. B의 단백질로 단위체는 포도당이다.
ㄷ. C는 지방이며, 9kcal/g의 열을 낸다.

① ㄱ, ㄴ
② ㄴ, ㄷ
③ ㄱ, ㄷ
④ ㄱ, ㄴ, ㄷ

6. 다음 설명에 해당하는 신소재는?

· 전기 저항이 0인 물질이다.
· 외부 자기장을 밀어내므로 자석을 뜨게 한다.
· 전력 손실이 없는 송전선을 만들 수 있다.

① 절연체
② 반도체
③ 강자성체
④ 초전도체

7. 마찰이 없는 수평면 상에서 운동하는 두 물체 A와 B의 힘과 가속도 값이 오른쪽 그림과 같을 때, 두 물체 A와 B의 질량(m_A : m_B) 비는?

① 1 : 1 ② 1 : 2 ③ 2 : 1 ④ 3 : 2

8. 다음은 쇠구슬의 자유 낙하 운동에 대한 수업을 받고 네 학생이 나눈 대화 내용이다. 옳게 말한 학생을 모두 고르면?

> 현정 : 쇠구슬에는 일정한 크기의 중력이 작용한다.
> 아람 : 쇠구슬은 중력 가속도인 9.8m/s²으로 낙하한다.
> 석우 : 물체의 질량이 클수록 더 빨리 지면에 닿는다.
> 봉현 : 진공에서는 쇠구슬과 깃털이 똑같이 떨어진다.

① 현정, 아람 ② 석우, 봉현 ③ 아람, 석우 ④ 현정, 아람, 봉현

9. 다음 그림과 같이 질량이 같은 자동차 A와 B가 같은 속도로 달리다가 콘크리트와 짚더미에 각각 충돌을 하였다. 충돌 후 두 자동차는 정지를 하였고, A가 B보다 더 크게 파손되었다.

▲ 콘크리트벽에 충돌할 때 A

▲ 짚더미에 충돌할 때 B

이에 대한 설명으로 옳은 것을 〈보기〉에서 모두 고른 것은?

〈보기〉

> ㄱ. 충돌하는 동안 받은 충격량의 크기는 A가 B보다 크다.
> ㄴ. 충돌하는 동안 받은 평균 힘의 크기는 A가 B보다 크다.
> ㄷ. 자동차가 충돌할 때 걸린 시간은 A가 B보다 짧다.

① ㄱ ② ㄴ ③ ㄱ, ㄴ ④ ㄴ, ㄷ

10. 다음에서 설명하는 지구 시스템의 에너지원은?

· 지구 시스템의 에너지원 중 가장 많은 양을 차지한다.
· 기권과 수권에서 기상 현상과 해류를 발생시킨다.
· 생물권에서는 광합성으로 생명 활동의 에너지원이 된다.

① 태양 복사 에너지 ② 지구 내부 에너지
③ 조력 에너지 ④ 지구 중력 에너지

11. 다음에서 설명하는 세포의 소기관으로 옳은 것을 고르면?

· 식물과 동물 세포 모두에 존재한다.
· 단백질과 인지질 2중층으로 구성되어 있다.
· 세포 안팎으로 물질의 출입을 조절한다.

① 엽록체 ② 미토콘드리아 ③ 리보솜 ④ 세포막

12. 오른쪽 그림은 지진과 화산 활동이 일어나는 판의 경계를 나타낸 것이다. 이에 대한 설명으로 옳은 것을 〈보기〉에서 모두 고른 것은?

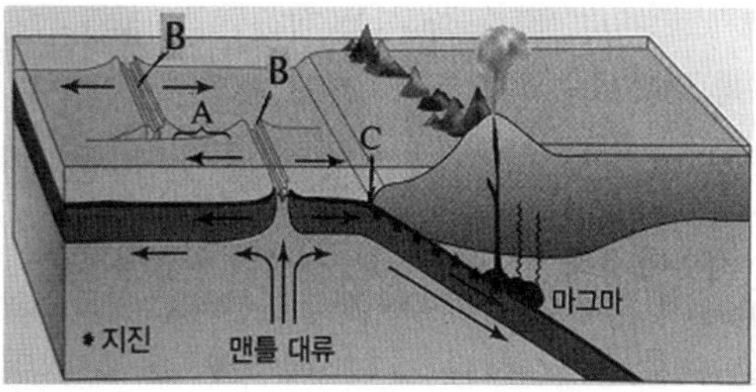

〈보기〉

ㄱ. A에서는 지진과 화산활동이 활발하다.
ㄴ. B는 판이 생성되는 해령이다.
ㄷ. C는 수렴형 경계인 해구이다.

① ㄱ, ㄴ ② ㄴ, ㄷ ③ ㄱ, ㄷ ④ ㄱ, ㄴ, ㄷ

13. 다음은 도시가스의 주성분인 메테인의 연소와 세포의 미토콘드리아에서 일어나는 반응식이다. 이에 대한 설명으로 옳은 것을 〈보기〉에서 모두 고른 것은?

· 메테인 + (A) → (B) + 물
· 포도당 + (A) → (B) + 물

〈보기〉

ㄱ. A는 산소이다.
ㄴ. B는 지구 온난화를 일으키는 기체이다.
ㄷ. 메테인과 포도당에는 공통으로 C와 H가 들어있다.

① ㄱ, ㄴ ② ㄴ, ㄷ ③ ㄱ, ㄷ ④ ㄱ, ㄴ, ㄷ

14. 다음은 우리 주변의 몇 가지 물질을 나타낸 것이다. 이에 대한 설명으로 옳은 것을 〈보기〉에서 모두 고른 것은?

비누 하수구 세정제 제산제

〈보기〉

ㄱ. 묽게 하여 맛을 보면 쓴맛이 난다.
ㄴ. 공통으로 OH^-이온이 들어 있다.
ㄷ. 금속과 반응시키면 수소기체를 발생시킨다.

① ㄱ, ㄴ ② ㄴ, ㄷ ③ ㄱ, ㄷ ④ ㄱ, ㄴ, ㄷ

15. 다음의 내용과 가장 관련이 깊은 화학 반응은?

· 벌에 쏘인 곳에 암모니아수를 바른다.
· 생선 비린내 제거에 레몬즙을 뿌린다.
· 위산 과다에 제산제를 복용한다.

① 앙금 반응 ② 침전 반응 ③ 산화 반응 ④ 중화 반응

16. 다음 중 지층의 생성 당시의 환경을 알려주는 시상 화석을 모두 고르면?

ㄱ. 삼엽충　ㄴ. 화폐석　ㄷ. 고사리　ㄹ. 산호

① ㄱ　② ㄱ, ㄴ　③ ㄱ, ㄹ　④ ㄷ, ㄹ

17. 그림은 어느 세균 집단에 항생제를 지속적으로 투여한 결과를 나타낸 것이다.

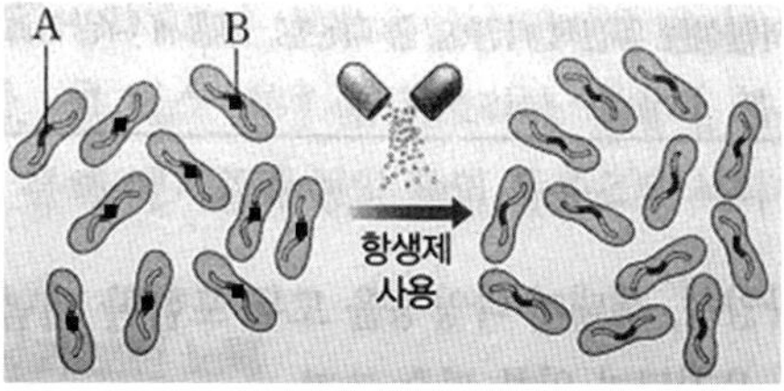

이에 대한 설명으로 옳은 것을 〈보기〉에서 모두 고른 것은?

〈보기〉

ㄱ. 항생제 내성 세균은 A이다.
ㄴ. A세균이 B세균으로 형질이 전환되었다.
ㄷ. 지속적인 항생제 사용 환경에서 A세균이 자연 선택되었다.

① ㄱ, ㄴ　② ㄴ, ㄷ　③ ㄱ, ㄷ　④ ㄱ, ㄴ, ㄷ

18. 다음 그림은 갈라파고스 군도의 여러 섬에서 서식하는 다양한 핀치의 부리 모양을 나타낸 것이다. 핀치의 부리를 다양하게 진화시킨 환경 요인을 고르면?

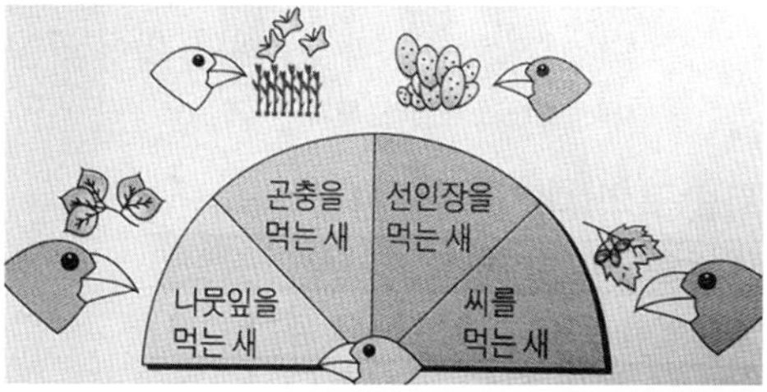

① 지역의 온도　② 포식자의 종류
③ 먹이의 종류　④ 일조시간

19. 다음 (가), (나)에서 설명하는 생태계의 구성 요소를 순서대로 옳게 배열한 것은?

(가)	다른 생물을 먹이로 섭취해 양분을 얻는다.
(나)	생물의 사체나 배설물을 분해하여 에너지를 얻는다.

	(가)	(나)		(가)	(나)
①	생산자	소비자	②	소비자	분해자
③	소비자	생산자	④	분해자	소비자

20. 오른쪽 그림은 개체군, 군집, 개체를 순서 없이 나타낸 것이다. 이에 대한 설명으로 옳은 것을 <보기>에서 모두 고른 것은?

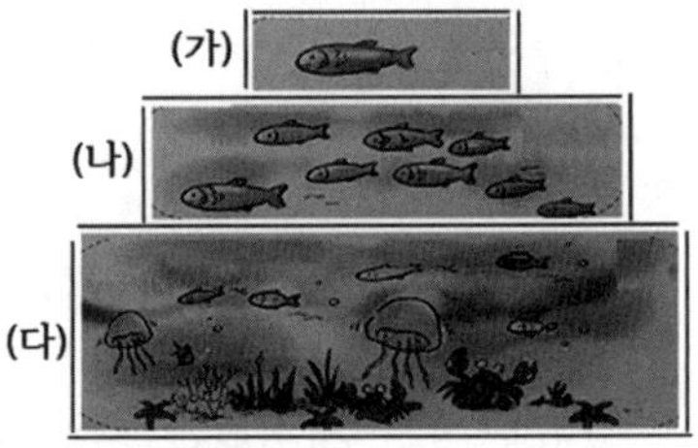

〈보기〉

ㄱ. (가)는 개체군이다.
ㄴ. (나)는 군집을 나타낸다.
ㄷ. (다)는 여러 개체군이 모인 무리이다.

① ㄱ ② ㄴ ③ ㄷ ④ ㄴ, ㄷ

21. 지구의 기후 변화의 원인에는 내적 요인과 외적 요인이 있다. 다음 중 외적 요인에 해당하지 <u>않는</u> 것을 고르면?

① 자전축 경사 방향의 변화 ② 지구 공전 궤도 모양의 변화
③ 수륙 분포의 변화 ④ 태양 활동의 변화

22. 오른쪽 그림은 지구 북반구의 대기의 순환을 나타낸 것이다. 이에 대한 설명으로 옳은 것은?

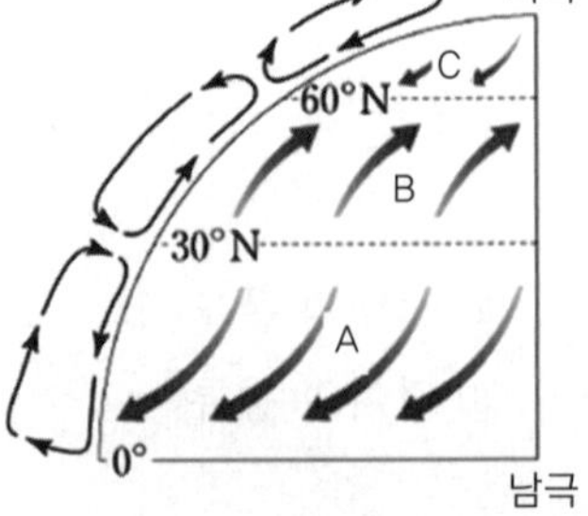

① 30° 지표 부근에서는 공기가 주로 하강한다.
② 0°~30° 사이에서는 편서풍이 분다.
③ 30°~60° 사이에서는 북동 무역풍이 분다.
④ 0° 지역보다 30° 지역에서 연평균 강수량이 많다.

23. 오른쪽 그림은 고열원에서 Q_1의 열을 흡수하여 일(W)을 하고, 저열원으로 Q_2의 열을 방출하는 열기관을 나타낸 것이다. 열기관에 대한 설명으로 옳은 것을 〈보기〉에서 모두 고른 것은?

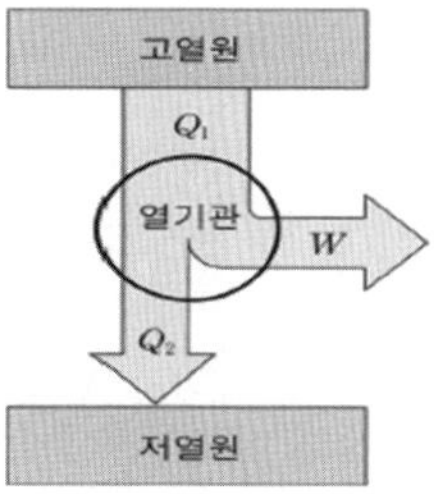

〈보기〉

ㄱ. W와 Q_2가 모두 클수록 좋은 열기관이다.
ㄴ. 열은 저열원에서 고열원으로 이동한다.
ㄷ. 열효율(%) $= \dfrac{\text{열기관이 한 일}(W)}{\text{공급한 열에너지}(Q_1)} \times 100$ 이다.

① ㄴ　② ㄷ　③ ㄱ, ㄴ　④ ㄱ, ㄷ

24. 다음 그림과 같이 원자로에서 우라늄이나 플루토늄에서 발생하는 열을 이용하여 전기를 생산하는 발전 방식은?

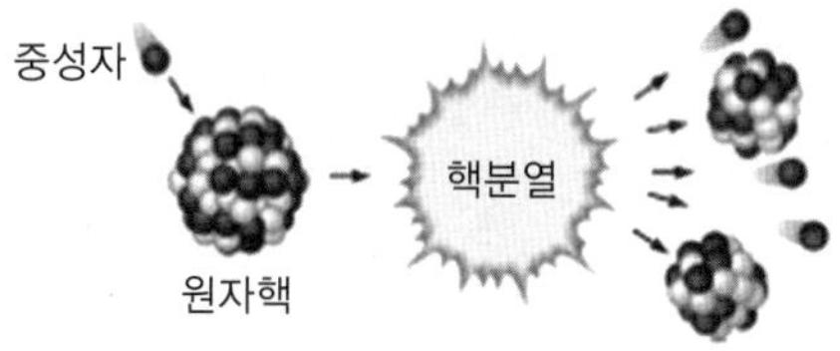

① 수력 발전
② 지열 발전
③ 화력 발전
④ 핵 발전

25. 다음 설명과 관계없는 에너지로만 옳게 묶은 것은?

· 연료가 고갈되지 않는 에너지이다.
· 오염 물질의 배출이 없다.

① 태양광, 풍력
② 조력, 파력
③ 지열, 바이오
④ 우라늄, 화력

정답 및 해설

단원확인문제
실전모의고사 1, 2

정답 및 해설

단원확인문제

01. 물질의 기원
02. 물질의 규칙성

1. ②	2. ③	3. ④	4. ③	5. ③
6. ③	7. ③	8. ②	9. ③	10. ④
11. ③	12. ②	13. ①	14. ④	15. ①
16. ④	17. ④	18. ②	19. ④	20. ①

1. 허블의 법칙을 그래프로 표현한 것으로 거리가 먼 은하가 후퇴 속도가 더 빠르다는 것이므로 B은하가 A은하보다 거리가 멀고 후퇴속도도 더 빠르다.

3. 양성자와 중성자는 모두 쿼크로 이루어진 입자들이며, 양성자는 +전하를 띠나, 중성자는 전하를 띠지 않는다.

4. 헬륨 원자핵은 빅뱅 약 3분 후에 생성되었다.

5. A는 중성자, B는 양성자, C는 전자이며, 전자는 원자핵 주위를 원운동 한다.

6. 원자는 양성자수와 전자수가 같아 전기적으로 중성 상태이다.

7. 핵융합 반응 결과 감소한 질량이 에너지로 전환된다.

8. 수소 핵융합 반응은 중심부에서 일어나며, 블랙홀은 태양보다 질량이 20~30배 큰 별의 경우에 생성될 수 있다.

9. 그림은 태양보다 질량이 20~30배 큰 별의 진화 과정이다.

10. A는 질량이 작고 밀도가 크므로 지구형, B는 질량이 크고 밀도가 작으므로 목성형 행성이며, 지구형 행성이 목성형 행성보다 밀도와 자전 주기가 크고, 대기 성분이 더 무겁다.

11. B과정에서 무거운 철 성분이 중심으로 내려가 지구 중심부의 밀도가 증가하였으며, 최초의 생명체는 자외선 때문에 바다에서 탄생하였다.

12. 같은 주기에 속하는 원소들은 같은 수의 전자껍질을 갖으며, 같은 족에 속하는 원소들은 원자가 전자수가 같아 화학적 성질이 유사하다.

13. A, D는 광택과 열, 전기 전도성이 있으므로 금속이고, B, C는 비금속 원소이다.

14. N, O, F 모두 전자 껍질수가 2개로 2주기 원소이며, 원자가 전자수는 N이 5개, O가 6개, F가 7개이다.

15. 모두 1족의 알칼리 금속 원소들이다.

17. Na과 Cl 원자는 전자 껍질수가 3개로 같은 3주기 원소이며, 각각 전자를 1개씩 잃고 얻어서 Na^+, Cl^-의 이온 상태에서 옥텟 규칙을 만족한 후 이온 결합을 형성한다.

18. 질소 분자는 일직선의 무극성, 물 분자는 굽은형의 극성이며, 비공유 전자쌍은 모두 2쌍으로 같다.

19. 실온에서 고체이며, 수용액 상태에서 전류를 통하는 물질은 이온 결합물이다.

20. 염화나트륨은 이온 결합물이므로 수용액 상태에서 전기 전도성이 있으나, 설탕은 공유 결합물이므로 수용액 상태에서도 분자 상태로 존재, 전기 전도성이 없다.

03. 자연의 구성 물질
04. 신소재
05. 역학적 시스템

1. ①	2. ①	3. ③	4. ④	5. ②
6. ②	7. ③	8. ③	9. ①	10. ④
11. ③	12. ③	13. ④	14. ④	15. ④
16. ④	17. ②	18. ③	19. ①	20. ③

1. 규산염 사면체는 4개의 O^{2-}와 1개의 Si^{4+} 합으로 전체 –4음전하를 띤다.

2. (가)에서 (다)로 갈수록 공유 결합하는 산소수가 증가한다.

3. 탄소 화합물은 탄소를 기본 골격으로 하며, 수소, 질소, 산소 등 여러 원소로 이루어져 있다.

4. 탄수화물(녹말)의 단위체는 포도당이며, 단백질의 단위체가 아미노산이다.

5. 효소 항체, 호르몬의 주성분인 단백질의 단위체는 아미노산이다.

7. 초전도체는 전기 저항이 0이므로, 센 전류가 흘러도 열이 발생하지 않는다.

8. 그래핀은 열과 전기를 잘 전달하며, 강철보다 강도가 강하고 잘 휘어지는 특성이 있다.

9. (가)는 전자 현미경의 탐침, 나노핀셋, (나)는 의약품 운반에 사용될 수 있다.

10. 홍합이 분비하는 단백질은 접착제, 연잎이 물을 밀어내는 특성을 이용하여 유리 코팅제를 만들 수 있다.

11. 관성의 법칙은 물체가 원래의 운동 상태를 계속 유지하려는 성질로 질량이 클수록 크다.

12. 두 물체가 같은 힘을 받으므로 힘(F)에 6을 대입해서 풀이해 보면, 6 = m · 6, 6 = m · 2,
따라서 m = 1 : 3이다.

13. 중력은 지구가 물체를 잡아당기는 힘이므로, 반작용은 물체가 지구를 잡아당기는 힘이 된다.

15. 중력의 크기는 mg이므로 쇠구슬이 더 크며, 공기 중에서는 공기 저항력 때문에 쇠구슬이 먼저 떨어지나, 진공에서는 공기 저항력이 없으므로 깃털과 쇠구슬 모두 동시에 떨어진다.

18. 물체가 받은 충격량은 운동량의 변화량과 같다.

19. ㄱ, ㄴ은 충격력이 일정할 때, 힘을 받는 시간을 길게 할 경우 운동량의 변화가 커져 나중 속도가 증가하는 예이고, ㄷ, ㄹ은 운동량의 변화가 같을 때, 충돌 시간을 길게 하여 작은 힘이 작용하게 하는 예이다.

20. 모두 충돌 시간을 길게 하는 예인데, ③은 작용–반작용의 예이다.

06. 지구 시스템
07. 생명 시스템

1. ②	2. ③	3. ①	4. ④	5. ④
6. ④	7. ①	8. ②	9. ④	10. ④
11. ①	12. ③	13. ③	14. ③	15. ④
16. ②	17. ④	18. ③	19. ②	20. ④
21. ②	22. ②	23. ③	24. ②	25. ①

1. A는 지각으로 대륙 지각이 해양 지각보다 더 두껍다.

2. 지표의 환경 변화는 강, 호수가 지하수보다 더 큰 영향을 미친다.

3. C층은 연중 수온 변화가 가장 작은 수온약층이 아닌 심해층이다.

4. A층은 대류권, B층은 성층권, C층은 중간권, D층은 열권이다.

6. 육지에서 화산 가스가 대기로 방출되는 것은 A, 지하수가 흘러 석회동굴이 생성되는 것은 B, 생물의 유해가 묻혀 화석연료가 되는 것은 E이다.

7. 지구 시스템의 에너지원 : 태양 복사 에너지 〉 지구 내부 에너지 〉 조력 에너지이며, 태양 에너지는 지구 내부 에너지로 전환될 수가 없다.

9. 지권으로 더 유입된 25–16=9의 물은 다시 바다로 이동한다.

11~12. 판과 판이 멀어지는 발산형 경계에는 해령, 판과 판이 서로 만나는 수렴형 경계에서 밀도가 큰 판이 밀도가 작은 판 아래로 섭입하면 해구, 두 대륙판이 충돌하는 곳에는 습곡산맥, 판의 생성도 소멸도 없는 보존형 경계에는 변환단층이 형성된다.

13. 화산재는 햇빛을 차단하여 지구의 기온을 하강시킨다.

14. C는 여러 조직(상피조직, 결합조직, 신경조직, 근육조직 등)으로 이루어진 기관에 해당한다.

16. 세포막을 통한 포도당, 아미노산 및 기체의 출입은 에너지 소모가 필요 없는 확산으로 이동한다.

18. (가)는 단계적으로 효소 관여에 의해 포도당이 분해되는 세포 호흡, (나)는 한 번에 효소가 필요 없이 분해되는 연소의 모식도이며, 모두 산소가 관여하는 발열 반응이다.

19. A가 생성물인 D로 분해되었으므로 반응물은 B가 아닌 A이다.

20. 체세포의 염색체 수는 46개, 정자와 난자 같은 생식세포에는 23개가 들어있다.

23. DNA의 구성 염기는 A, G, C, T이며, U는 RNA의 염기이다.

24. DNA의 2중 나선을 구성하는 염기 중 A의 비율이 30%이면, T도 30%이므로, 나머지 40%를 G와 C가 나누어 가지므로 G와 C는 각각 20%를 차지한다.

25. DNA의 유전 정보 전달은 핵에서, 단백질 합성은 세포질의 리보솜에서 일어나며, RNA에서 유전 암호로 작용하는 것을 코돈이라 한다.

08. 산화와 환원
09. 산과 염기
10. 지질 시대와 진화

1. ①	2. ④	3. ④	4. ②	5. ②
6. ④	7. ④	8. ②	9. ③	10. ③
11. ②	12. ④	13. ④	14. ④	15. ④
16. ③	17. ②	18. ④	19. ④	20. ④
21. ②	22. ③			

1. 물질이 산소와 결합하거나, 전자를 잃는 반응은 산화 반응이다.

2. 첫 번째 식은 광합성, 나머지 둘은 연소 반응으로 공통 물질은 산소(O_2)이다.

3. (나)는 CO_2로 지구 온난화를 일으키며, 연소 생성물로 이산화탄소(CO_2)와 물(H_2O)이 생성된 것으로 보아 석유는 C와 H가 주성분임을 알 수 있다.

5. 금속 광물은 제련해야 사용할 수 있으며, 제련은 철광석에서 산소를 떼어내는 것이다.

6. 구리(Cu)가 은(Ag)보다 반응세기가 크므로, 구리가 Cu^{2+}로 산화되고, 은(Ag)이 구리판에 석출되며, 수용액의 푸른색은 점점 진해진다.

7. 아연(Zn)이 구리(Cu)보다 반응세기가 크므로, 아연은 Zn^{2+}로 산화되고, 구리(Cu)가 아연판에 석출되므로, 수용액의 푸른색은 점점 옅어지며, 음이온은 반응에 참여하지 않으므로 수의 변화가 없다.

8. 모두 산이고, H^+가 공통이며, 금속과 반응시키면 수소(H_2)가 발생한다.

9. 염기는 모두 공통으로 OH^-로 인해 쓴맛, 전해질이고, 금속과 반응하지는 않는다.

11. 레몬, 식초는 산이며, 제산제, 비누는 염기이다.

12~13. 중화 반응은 산의 H^+와 염기의 OH^-가 반응하므로 이들을 알짜 이온이라 하고, 생성물로 항상 물(H_2O)이 생성되며, Na^+와 Cl^-는 구경꾼 이온이라고 한다.

14. (가), (나), (다) 모두 산의 부피가 염기보다 많아 액성이 산성이나, (라)는 염기가 더 많아 혼합했을 경우 염기성을 나타낸다.

16. 중화 반응은 산 · 염기가 1 : 1로 참여하는 양이 많을수록 중화열이 많이 발생한다.

17. A는 생존 기간이 긴 시상 화석, B는 생존 기간은 짧고, 분포 면적이 넓은 표준 화석이다.

18. 표준 화석은 지층의 생성 시대를, 시상 화석은 지층 생성 당시의 환경을 알려주는 화석이다.

19. 지질 시대 중 가장 길고 화석이 드물게 발견되는 시기는 선캄브리아대이다.

20~22. 고생대는 삼엽충, 갑주어, 중생대는 공룡, 암모나이트, 시조새, 신생대는 화폐석, 매머드가 대표적인 표준 화석이다.

11. 생물 다양성과 유지
12. 생태계와 환경
13. 지구 환경 변화

1. ③	2. ④	3. ④	4. ③	5. ④
6. ④	7. ②	8. ①	9. ③	10. ①
11. ③	12. ②	13. ④	14. ③	15. ④
16. ②	17. ④	18. ③	19. ①	20. ③
21. ④	22. ①	23. ④	24. ③	25. ②

1. 유전 물질(DNA)에 변화가 일어나 부모에 없던 형질이 자손에 나타나는 것은 돌연변이이다.

2. 목이 길어지게 된 기린을 설명하는 진화론은 자연 선택설이다.

4. 문제의 설명은 유전적 다양성이며, 종 다양성은 생물 종의 다양한 정도를 말하며, 생태계 다양성은 어느 지역의 생태계(산림, 초원, 하천)의 다양한 정도를 나타낸다.

5. (가)는 유전적 다양성, (나)는 종 다양성, (다)는 생태계 다양성을 나타낸다.

7. 생태계에서 동일한 종의 개체들로 이루어진 집단을 개체군이라 하며, 여러 개체군의 모임을 군집이라 한다.

8. 기온이 낮아져 은행잎이 노래지는 것은 환경이 생물에 영향을 주는 작용이고, 나머지는 생물이 환경에 영향을 미치는 반작용이다.

9. 양엽은 잎이 두껍고 좁은 반면 음엽은 잎이 얇고 넓은데, 이것은 빛 세기에 대한 적응이다.

10. 위도에 따라 여우의 모습이 다른 것은 온도에 대한 적응으로 ①이 같은 예이다. ②, ④는 물, ③은 빛 파장에 대한 적응이다.

11. 1차 소비자가 증가하면 일시적으로 생산자가 감소하고, 2차 소비자가 증가한다.

12. 생태계는 먹이 사슬이 복잡할수록 안정하고 생물 다양성이 높다.

13. 안정한 생태계는 개체수, 생물량, 에너지양이 상위 영양 단계로 갈수록 감소하는 피라미드 형태를 나타낸다.

14. 자전축 경사 변화, 공전 궤도 모양의 변화는 외적 요인이며, 수륙 분포의 변화, 빙하의 면적 변화, 이산화탄소 농도 변화 등은 지구 내적 요인이다.

15. 숲속에 사는 생물 군집을 조사하는 것은 과거가 아닌, 현재의 상태를 조사하는 것이다.

16~18. 지구가 방출한 에너지를 대기가 지표면으로 일부를 재복사하는 것은 온실 효과이고, 온실 기체(이산화탄소)의 증가로 온실 효과가 더 크게 일어나는 것이 지구 온난화이다.

19. 온난화가 지속되면 빙하가 융해하므로 해수면이 상승하고, 저지대가 침수하며, 육지 면적이 감소한다.

20. 천연가스도 화석 연료이므로 연소할 경우 이산화탄소를 배출한다.

21. 저위도는 에너지 과잉, 고위도는 에너지 부족인데, 대기와 해수가 저위도의 과잉 에너지를 고위도로 운반하여 복사 평형을 유지한다.

22. 북반구에서 해수는 시계 방향으로 순환한다.

23. 적도의 지표 부근에서는 공기가 상승, 0°~30° 지역에는 북동 무역풍, 30°~60° 지역에는 편서풍이 분다.

24~25. 무역풍이 평상시보다 약할 때는 엘니뇨가, 강할 때는 라니냐가 발생한다.

정답 및 해설

14. 에너지의 효율적 이용
15. 전기 에너지의 생산과 수송
16. 발전과 신재생 에너지

1. ③	2. ④	3. ④	4. ③	5. ①
6. ④	7. ②	8. ①	9. ②	10. ④
11. ④	12. ②	13. ③	14. ③	15. ①
16. ③	17. ②	18. ③	19. ④	20. ④
21. ③	22. ①	23. ④		

1. 지면에 도달할 때 퍼텐셜 에너지가 모두 운동 에너지로 전환되므로, 현재 퍼텐셜 에너지가 가장 큰 C이다.

2. 낙하할 때 퍼텐셜 에너지는 감소, 운동 에너지는 증가, 역학적 에너지는 일정하다.

3. 현재 h높이에서 퍼텐셜 에너지가 같으므로, 지면에 도달할 때 운동 에너지도 같아야 하므로 모두 속력이 같다.

4. 태양전지는 빛 에너지를 직접 전기 에너지로 전환시키는 예이다.

6. 자석을 코일 속에 가만히 넣어 두면 전류가 유도되지 않는다.

7. 고열원의 Q_1이 더 큰 값, W가 클수록 좋은 열기관, $Q_2 = 0$인 열기관을 영구기관이라 하는데 제작할 수 없으며, 열기관이 한 일은 $W = Q_1 - Q_2$로 표현할 수도 있다.

8. 발전기는 역학적 에너지를 전기 에너지로 전환시킨다.

10~11. 전류를 송전할 때 송전선에 흐르는 전류가 클수록 손실 전력(전류^2)이 커지므로 고전압으로 송전해야 적은 전류가 흘러 손실 전력을 줄일 수 있다. 전류를 1/2로 줄이면 손실 전력은 1/4배가 된다.

12. 변압기에서 전압은 코일의 감은 수에 비례하므로, 출력 전압은 110V, 그러나 에너지 보존 법칙에 의해 입력 전력 = 출력 전력이므로 전류는 2A, 출력 전력은 220W이다.

13. 핵융합, 핵분열 반응 모두 반응 결과 질량이 감소하며, 질량 감소량이 에너지로 전환된다.

14. 바다에서 밀물과 썰물 현상을 일으키는 에너지는 조력 에너지이다.

15. 대부분의 화석 연료의 주성분은 탄소(C)와 수소(H)이다.

16. 생물체가 매몰되어 생성된 화석 연료에 대한 문제로, 우라늄은 화석 연료가 아니다.

17. 석유와 우라늄의 공통점은 매장 지역이 편중되어 있고, 언젠가는 연료가 고갈된다는 것이다.

18. 핵발전은 우라늄의 핵분열이므로 지구 온난화 물질인 이산화탄소의 배출이 없다.

19~20. 신재생 에너지는 자원 고갈의 염려가 없고, 환경오염이 없지만, 초기 투자 비용이 많고, 대부분 안정적인 에너지 생산이 어렵다는 단점이 있다.

21. 풍력 발전은 바람을 이용하므로 지역 조건에 영향을 받는다.

23. 수소는 연소 후에 물만 배출, 자원고갈이 없는 것이 장점이지만, 연료를 제조, 저장, 운반하는 기술이 필요하고, 생산의 경제성이 낮은 것이 단점이다.

실전모의고사

01. 실전모의고사

1. ③	2. ④	3. ③	4. ②	5. ④
6. ④	7. ③	8. ①	9. ②	10. ③
11. ③	12. ③	13. ④	14. ①	15. ④
16. ④	17. ④	18. ③	19. ①	20. ②
21. ④	22. ②	23. ②	24. ①	25. ③

1. 원자는 양성자수와 전자수가 같아서 전기적으로 중성이다.

2. 중심부에서 수소핵융합 반응으로 에너지를 생성하는 주계열성은 중력과 내부압력이 평형을 이루어 별 크기가 일정하게 유지된다.

3. 질소는 삼중 결합의 공유 결합으로 인해 매우 안정한 기체이며, 충전제로 많이 사용된다.

4. 이온 결합물은 고체에서는 전기 전도성이 없으나, 액체나 수용액 상태에서는 이온의 이동이 자유로워 전류가 흐르며, 힘을 가해 층이 밀리면 같은 전하끼리의 반발력으로 잘 쪼개지고 부서진다.

5. 초전도체는 전기 저항이 0인 물질로 발광 다이오드(LED)가 사용된 예가 아니다.

7. 사과는 중력에 의한 낙하운동을 하므로 1초당 9.8m/s씩 속도가 증가하는 등가속도 운동을 한다.

8. 운동량의 변화량이 일정할 때, 충돌시간을 길게 하면 충격력이 감소하는 예들이다.

9. 대류권은 기온이 하강하며, 공기의 대류로 인해 기상현상이 일어나는 층이고, 중간권은 대류는 일어나지만 수증기가 희박하여 기상현상은 없고, 열권은 오로라 현상이 일어나는 층이다.

11. 광합성은 동화 작용이고, 세포 호흡은 이화 작용이다.

12. A, C는 효소이고, B는 기질이다.

15. 모두 산성 물질로 푸른 리트머스 종이를 붉게 변화시킨다.

16. 위산 과다에 제산제를 복용하는 것은 중화 반응의 예이다.

17. 중화 반응은 산의 H^+와 염기의 OH^-의 반응으로 항상 공통적으로 물이 생성된다.

18. 생존 경쟁은 (가)에서 일어난다.

19. 유전적 다양성이 감소하면 환경 변화에 적응하는 개체가 적으므로 멸종이 오기 쉽다.

20. (가)는 평상시, (나)는 무역풍이 약할 때 나타나는 엘니뇨 시기이다.

21. 온난화가 일어나면 빙하가 녹으므로, 극지방의 빙하 면적은 감소하게 된다.

23. 자기장의 변화로 전류가 만들어지는 전자기 유도로 발전의 원리이다.

24. 전류를 2배 높이면 손실 전력은 $(전류)^2$배로 손실되므로 4배의 손실 전력이 발생한다.

25. 화석 연료가 아닌 것을 묻는 문제이므로, 초신성 폭발 때 생성된 우라늄이 정답이다.

02. 실전모의고사

1. ①	2. ①	3. ④	4. ④	5. ③
6. ④	7. ②	8. ④	9. ④	10. ①
11. ④	12. ②	13. ④	14. ①	15. ④
16. ④	17. ③	18. ③	19. ②	20. ③
21. ③	22. ①	23. ②	24. ④	25. ④

1. 원자핵이 전자와 결합하여 원자가 되었다.

2. 중심에서 철까지 생성된 것으로 보아 태양보다 매우 큰 별이고, 현재 초거성 상태이며, 이후에 수축한 후 폭발하여 초신성이 된다.

3. 질소 분자는 일직선의 무극성 분자이고, 공유 전자쌍이 3개로 삼중 결합을 하고 있는 2원자 분자이다.

4. 공기와 물에서 반응성이 매우 큰 알칼리 금속이다.

5. B는 단백질로 단위체는 아미노산이다.

7. 식에 대입하여 풀면, A = 2kg, B = 4kg으로 약분하면 1 : 2이다.

8. 물체의 낙하 운동에서 지면에 닿을 때의 속도는 공기 저항을 크게 받을수록 늦게 낙하한다.

9. 같은 속도에서 충돌하였으므로 운동량의 변화량, 즉 충격량은 서로 같고, 충돌 시간이 길게 소요된 B가 충격력이 작아 피해가 적은 것이다.

12. A는 변환단층으로 화산활동은 없고 천발지진만 일어나며, B는 해령, C는 해구이다.

13. 연소와 세포 호흡 식으로 A는 산소이고, B는 이산화탄소이다. 모두 물과 이산화탄소를 생성했으므로 공통 원소는 C와 H이다.

14. 모두 염기 물질로, 염기는 금속과 반응해도 수소 기체가 발생하지 않는다.

16. 삼엽충과 화폐석은 지층의 생성시대를 알려주는 표준 화석이고, 당시의 환경을 알려주는 시상 화석은 고사리, 산호, 조개 등 현재도 살고 있는 생물들의 화석이다.

17. 항생제 내성 세균은 A이고, A세균이 B세균으로 형질이 전환된 것이 아니고, 항생제 사용 환경에서 A세균이 자연 선택된 것이다.

20. (가)는 개체이고 (나)는 동일종의 개체군이며, (다)는 여러 개체군이 모인 군집이다.

21. 수륙 분포의 변화, 화산 분출 등은 지구 내적 요인이다.

22. 0°~30° 사이에서는 무역풍이, 30°~60° 사이에서는 편서풍이 불며, 0° 지역이 상승기류가 일어나는 저기압대로 강수량이 더 많다.

23. W는 클수록, Q_2는 작을수록 좋은 열기관이고, 열은 항상 고열원에서 저열원으로 이동한다.

25. 신재생 에너지가 아닌 것을 묻는 문제이므로 정답은 ④이다.

과학

인쇄일		2024년 6월 4일
발행일		2024년 6월 11일
펴낸이		(주)매경아이씨
펴낸곳		도서출판 국자감
지은이		편집부
주소		서울시 영등포구 문래2가 32번지
전화		1544-4696
등록번호		2008.03.25 제 300-2008-28호
ISBN		979-11-5518-126-3 13370

국자감 전문서적

기초다지기 / 기초굳히기

"기초다지기, 기초굳히기 한권으로 시작하는 검정고시 첫걸음"

· 기초부터 차근차근 시작할 수 있는 교재
· 기초가 없어 시작을 망설이는 수험생을 위한 교재

기본서

**"단기간에 합격! 효율적인 학습!
적중률 100%에 도전!"**

· 철저하고 꼼꼼한 교육과정 분석에서 나온 탄탄한 구성
· 한눈에 쏙쏙 들어오는 내용정리
· 최고의 강사진으로 구성된 동영상 강의

만점 전략서

"검정고시 합격은 기본! 고득점과 대학진학은 필수!"

· 검정고시 고득점을 위한 유형별 요약부터
문제풀이까지 한번에
· 기본 다지기부터 단원 확인까지 실력점검

한양 프로그램 한눈에 보기

· 검정고시반 중·고졸 검정고시 수업으로 한번에 합격!

기초개념	기본이론	핵심정리	핵심요약	파이널
개념 익히기	과목별 기본서로 기본 다지기	핵심 총정리로 출제 유형 분석 경향 파악	요약정리 중요내용 체크	실전 모의고사 예상문제 기출문제 완성

· 고득점관리반 검정고시 합격은 기본 고득점은 필수!

기초개념	기본이론	심화이론	핵심정리	핵심요약	파이널
전범위 개념익히기	과목별 기본서로 기본 다지기	만점 전략서로 만점대비	핵심 총정리로 출제 유형 분석 경향 파악	요약정리 중요내용 체크 오류범위 보완	실전 모의고사 예상문제 기출문제 완성

· 대학진학반 고졸과 대학입시를 한번에!

기초학습	기본학습	심화학습/검정고시 대비	핵심요약	문제풀이, 총정리
기초학습과정 습득 학생별 인강 부교재 설정	진단평가 및 개별학습 피드백 수업방향 및 난이도 조절 상담	모의평가 결과 진단 및 상담 4월 검정고시 대비 집중수업	자기주도 과정 및 부교재 재설정 4월 검정고시 성적에 따른 재시험 및 수시컨설팅 준비	전형별 입시진행 연계교재 완성도 평가

· 수능집중반 정시준비도 전략적으로 준비한다!

기초학습	기본학습	심화학습	핵심요약	문제풀이, 총정리
기초학습과정 습득 학생별 인강 부교재 설정	진단평가 및 개별학습 피드백 수업방향 및 난이도 조절 상담	모의고사 결과진단 및 상담 / EBS 연계 교재 설정 / 학생별 학습성취 사항 평가	자기주도 과정 및 부교재 재설정 학생별 개별지도 방향 점검	전형별 입시진행 연계교재 완성도 평가

MK감자유학

Valuable education content provider

We're Experts

우리는 최상의 유학 컨텐츠를 지속적으로 제공하기 위해 정기 상담자 워크샵, 해외 워크샵, 해외 학교 탐방, 웨비나 미팅, 유학 세미나를 진행합니다.
이를 통해 국가별 가장 빠른 유학트렌드 업데이트, 서로의 전문성을 발전시키며 다양한 고객의 니즈에 가장 적합한 유학솔루션을 제공하기 위해 최선을 다합니다.

KEY STATISTICS

30년+ 전통교육그룹

17개 국내최다센터

15년 평균상담경력

24개국 해외네트워크

2,600+ 해외교육기관

Educational

감자유학은 교육전문그룹인 매경아이씨에서 만든 유학부문 브랜드입니다. 국내 교육 컨텐츠 개발 노하우를 통해 최상의 해외 교육 기회를 제공합니다.

The Largest

감자유학은 전국 어디에서도 최상의 해외유학 상담을 제공할 수 있도록 국내 유학 업계 최다 상담 센터를 운영하고 있습니다.

Specialist

전 상담자는 평균 15년이상의 풍부한 유학 컨설팅 노하우를 가진 전문가 입니다. 이를 기반으로 감자유학만의 차별화된 유학 컨설팅 서비스를 제공합니다.

Global Network

미국, 캐나다, 영국, 아일랜드, 호주, 뉴질랜드, 필리핀, 말레이시아 등 감자유학 해외 네트워크를 통해 발빠른 현지 정보 업데이트와 안정적인 현지 정착 서비스를 제공합니다.

Oversea Instituitions

고객에게 최상의 유학 솔루션을 제공하기 위해서는 다양하고 세분화된 해외 교육기관의 프로그램이 필수 입니다. 2천개가 넘는 교육기관을 통해 맞춤 유학 서비스를 제공합니다.

2020
대한민국 교육 산업
유학 부문 대상

2012 / 2015
대한민국 대표
우수기업 1위

2014 / 2015
대한민국 서비스
만족대상 1위